小山田圭吾の「いじめ」はいかにつくられたか

現代の災い「インフォデミック」を考える

片岡大右

Kataoka Daisuke

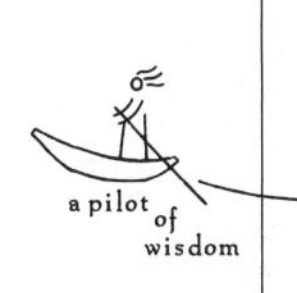

はじめに

2021年夏、小山田圭吾氏が東京オリンピック・パラリンピック開会式の楽曲制作担当に名を連ねていることが発表されました。東京五輪開催への賛否を別として言えば、同氏の国際的な活躍とその音楽性の高い評価からして、これほど妥当な起用はありません。ところがわずか数日後には辞任を余儀なくされてしまう。学校時代のいじめをめぐる1990年代の雑誌上での発言がSNSで「炎上」し、それが内外の有力メディアで報じられ国際スキャンダルの様相を呈するに至ったことが原因です。辞任表明直後の『報道ステーション』(朝日テレビ)で、アナウンサーは「いじめというよりは、もう犯罪に近い」とまで発言しました。

2022年夏、その小山田氏は、騒動直後の前回には出演辞退を余儀なくされたフジロックフェスティバル、そして同フェスと並び夏の2大フェスと称されるサマーソニックの前夜祭ソニックマニアに、長年のソロプロジェクトである「コーネリアス」名義で相次いで出演、音楽ファンのあいだに復活を印象付けました。放送開始以来10年にわたり楽曲を担当してきたNHK Eテレの人気番組『デザインあ』こそ今なお休止状態にあり、その創意に満ちた音楽と映像に触れる機会を奪われた多くの子どもたちと大人たちを悲しませているとはいえ、当初の騒動の大きさを思えば、同氏は順調な活動再開を果たしつつあると言えるかもしれません。

比較的短い自粛期間を経て活動再開できた理由のひとつは、本件には報道被害の側面が大きく、大炎上に見合うだけの事実はなかったということが、少なくとも関心層にはおおむね周知されたためでしょう。

小山田氏自身は、2021年9月に誠実かつ勇気ある「いじめに関するインタビュー記事についてのお詫(わ)びと経緯説明」(以下「お詫びと経緯説明」)を発表しました。そしてまた、場合によっては後付けの言い訳とも受け取られかねないこうした弁明を孤立させず、正当に受け入れられるような環境づくりに貢献したファンたちの奮闘を忘れるわけにはいきません。炎上直後からブログやSNSを通してファクトチェックを推し進めた、女性を中心とするファンたちの努力がなかったら、状況は今とは異なったものになっていたかもしれないのです。この点については、2大フェス出演を機にわたしが公表したネット記事を御覧ください(「炎上騒動を超えて―小山田圭吾、活動再開の背景にあった女性ファンの『集合的知性』」集英社オンライン、2022年9月23日)。

とはいえ、本人とファンによるこうした情報修正は大きな意味を持ったにしても、2021年夏の過熱した報道によってほとんど国民規模で広まった誤認識を同じ規模で正すことは、残念ながらできていません。本書は第一に、出版により世論を喚起することで、正確な認識を少しでも広めたいという意図から企画されています。

しかし本書の狙いは、それにとどまるものではありません。

*

本書は、国際的に活躍しその音楽性を高く評価されてきたミュージシャン、小山田圭吾氏をめぐり2021年夏に沸き起こった騒動の背景を探索することを通して、わたしたちが生きる社会の数々の難事を浮き彫りにする試みです。わたしはこの本を、幅広い読者を想定して書きました。

小山田氏の音楽と人に関心を抱くすべての人びとに届けたいのはもちろんですが、それだけではありません。今日のメディア環境下で促進される誤情報や偽情報の大規模な拡散

――新型コロナウイルス感染症のような「パンデミック」との類推から「インフォデミック」と呼ばれる――を憂慮する人びとに、その典型的な一事例を詳細に提供するのも目的のひとつです。

本書はまた、１９９０年代およびそれ以降の文化を新たな視点から捉えなおす取り組みの成果でもあります。とりわけ、男性中心の音楽ジャーナリズムの問題性を歴史的に振り返ることで、ポピュラー音楽を語る女性たちの声を復権させる一助となればという思いは、小山田氏をめぐる騒動を収拾するために発揮された女性ファンダムの力強さと創意工夫を前にして、執筆を促す大きな動機となりました。

さらに本書は、わたしたちの社会を悩ませることをやめない「いじめ」という難問に対する建設的な問題提起として書かれてもいます。

小山田氏は、90年代の音楽ジャーナリズムによって発言の一部を誇張的に歪曲されたのち、21世紀になってあるブログ記事の恣意的な引用の犠牲になるに及んで、自慰と食糞を強要し、知的障害者を性的に虐待して楽しむ生徒だったという、すべてが事実に反する禍々しい人物像を広められることになりました。まずはこの偽情報を正さなければならないのは、言うまでもありません。

しかし悩ましいのは、報じられた事柄の事実性が否定されたことを知ったうえでなお、今回の大騒動を不当な「インフォデミック」として問題視するよりも、元「いじめっ子」としての小山田氏の責任を問うことを重視すべきだという感覚が、わたしたちの社会においては正当なものとして許容されているように見える、ということです。

本書の著者であるわたしもまた、社会の一員として、こうした感覚は理解できなくもありません。教育社会学者の伊藤茂樹氏は、今日の日本では、いじめ自殺やそうした帰結を導きかねないいじめ加害は、直接の当事者の問題を超え、社会全体が共有する「集合感情」（デュルケーム）を侵害する行為の典型となっていると論じています（『「子どもの自殺」の社会学――「いじめ自殺」はどう語られてきたのか』青土社、2014年、第1章）。だからこそわたしたちは、赤の他人のいじめ被害を知らされても、わがことのように憤慨せざるをえないのです。

問題は、侵害された集合感情を回復するための社会的反応が、しばしばいじめと相似的な、不当な非難と攻撃に道を開いてしまうことです。小山田氏の一件に限った話ではありません。いじめやそれに類する事象を憎む思い自体はまったく正当であっても、そうした思いに促された世論の沸騰は、必ずしも学校生活や社会生活をよりよいものにはできていない。こうした困難を痛感している人びとに近年の教育社会学の知見の一端を紹介し、思索と実践の糧をもたらすことができたらという願いもまた、本書を出版する大きなきっかけとなっています。

*

けれども、すべての出発点にあるのはあくまで、コーネリアスこと小山田圭吾氏の音楽と人をめぐる考察にほかなりません。

大炎上の年の秋、本書の元になった原稿を準備する過程で、わたしを大いに励ましてくれた文章があります。作家の古谷田（こやた）奈月氏は、マルセル・プルースト『失われた時を求めて』をめぐるある文芸誌の特集の枠内で、小山田氏および小林賢太郎氏――劣らず問題含みの告発を受けて、東京オリンピック・パラリンピックの開閉会式のショーディレクターを解任された――を取り上げました。そこでプルーストの大長編のうちに、良くも悪くも過去を「更新」していく「時」の作用が主題化されているのを読み取った古谷田氏は、そうした更新または「恩赦」ののち、やがて小山田氏と小林氏の作品が、生前の騒動とはほとんど無関係に享受されることになる未来を想い描いています。

小山田圭吾の音楽や小林賢太郎の芸に今から何十年もあとに、彼らが死者となり、生前の不祥事などたとえ知っても生々しくもなく、さほど興味も持てず、ただ作品だけが確かな「現在」の事実として目の前にある、そういうふうに触れる人がきっと現れるだろうと考えている。

それを希望と呼ぶつもりはない。絶望と呼ぶつもりもないように。ただ作品を完全に殺すことは、社会的にであれ生物学的にであれ、人を殺すことよりずっと難しいというだけのことだ——果てしない「時」のなかでは。

（「罪のような寛容さ」、「文學界」２０２１年10月号）

作品の持つ力へのこうした信念を、本書の著者であるわたしは古谷田氏と共有しています。小山田氏が騒動を乗り越えることができず、新たな創作が途絶えてしまった場合でさえ、彼が残した音楽は、おそらく22世紀になっても、惑星の至るところで、さらには地球の外においても、新たな耳を喜ばせ続けることができたに違いありません。

しかし本書は、作品の未来をめぐるそのような信念に支えられながらも、現在と近い将来における小山田圭吾という人間の尊厳の回復を祈って書かれています。これはひとつには、作品のためを思ってのことです。まだ50代前半の小山田氏は、これまで構築してきたすでに比類ない音楽世界をさらに豊かなものにしていけるはずであり、そのためには、社会的生命の回復が必須の条件となるのですから。

けれどもまた、というよりもいっそう、わたしが気にかけているのは人間のことです。まずは、『デザインあ』の仕事に代表されるように、取り立てて音楽に通じているわけでもない子どもたちと大人たちを含めたあらゆる人びとの日常に心地よい驚きをもたらす仕事に喜びをもって取り組んできた小山田圭吾という人間が、不当な評価から解放されてほしいという思いがある。しかしそれだけではありません。

小山田氏をめぐるスキャンダルは、単に彼個人にとってのみならず、不安定さと曖昧さを抱えた複雑な存在としての人間そのものにとっても不当だったと、わたしは考えているのです。その意味で、事情の複雑さを跡づける本書の試みは、単純化の暴力から人間一般を救う努力の一環をなしています。

大部分において小山田氏の学校時代以降の現代日本に密着した考察を行っていながら、

本書が視点の複数性と意見の多様性の圧殺をめぐるフランスの社会学者リュック・ボルタンスキーとドイツ出身の哲学者ハンナ・アーレントの議論を参照することで始まり、第二次大戦終戦直後に獄死した哲学者、三木清の有名な著作『パスカルにおける人間の研究』に焦点を当てることで終わっているのは、あらゆる困難にもかかわらず人間の複雑さを守らなければならないという、本書を根底で支える確信の一般的性格に関わっているのです。

実はこの点でも、先述の古谷田奈月氏の仕事が著者を励ましてくれました。同氏の最新長編『フィールダー』（集英社、2022年）は真の傑作ですが、そこで主人公の編集者・橘泰介は、担当する児童福祉専門家・黒岩文子が小児性愛の嫌疑をかけられ（そして問題含みの行動があったのは事実らしい）、同期の週刊誌記者に狙われているのをなんとかしようとして、「一年と三十万字くれ」と叫びます（第四章）。「一年と三十万字だよ。百瀬さん。それより削れば人が死ぬ」「紙幅なんだ。すべては紙幅だ。言葉が全然足りないんだよ。複雑なことを複雑なまま伝えないから自殺や差別がなくならない。人間は、本当は、単純さに耐えられる生き物じゃないんだ」

本書の元になった原稿は、当初は大炎上の直後の2021年7月後半、数千字からせいぜい一万字程度の単発のウェブ記事として依頼を受けて準備されたものです。この時点でインフォデミックの側面は明らかでしたから、わたしとしても早急に記事を公開して世論に訴えたい気持ちがありました。しかし本件の背景を理解し読者に向けて説明するためにはより多くの調査と文字数が必要であることがやがて明らかになり、結局は年末に、10万字を超える原稿としてようやく公開開始にこぎ着けることができたのです。生来の要領の悪さを棚に上げて振り返るなら、著者であるわたしを駆り立てていたのはこの橋と同じ、複雑なことを不当に単純化してはならないという思いだったと言えるかもしれません。

＊

本書は、岩波書店がウェブ上のプラットフォーム「note」で展開するメディア「コロナの時代の想像力」に5回にわたり連載された論考、「長い呪いのあとで小山田圭吾と出会いなおす」に基づく著作です（第1・2回：2021年12月28日、第3回：2022年1月14日、第4回：同2月18日、第5回：同2月24日）。

第1章第1節には、元となったnote版第1回の発表時の緊迫した雰囲気が色濃く感じられます。当時の空気感を記録することにも意味があるだろうと思い、活動再開がなされた現在の観点から論調を修正することは差し控えました（情報更新の必要なところは〔　〕内で補足しています）。また、本文中、敬称はすべて省略しています。

目次

第3章　「いじめ紀行」の枠組みを解きほぐす――93

図版作成/MOTHER

第1章　小山田圭吾は21世紀のカラヴァッジョなのか

1　距離と想像力

遠くで誰かが苦しんでいる。わたしたちが直接現地に赴くことはできず、ただちに行動してその苦しみを解消させることなどできはしない、遠い距離の向こうのどこかで。そんな光景が突然、平穏な日常のなかに飛び込んできたなら、いったいどうすればよいだろうか。

フランスの社会学者リュック・ボルタンスキーが１９９３年に著した『遠くの苦しみ』(*La souffrance à distance*, Métailié, 1993 ; Gallimard, 2007) は、国際報道や国際人道支援運動の功罪がさまざまに議論された当時の状況のなか、距離を介した想像力の問題を思想史的背景のもとに論じた啓発的な著作だ。同書によれば、そうした光景を差し出された場合、具体的には何もしないにもかかわらず「まっとうとみなされる道徳的枠組みのなかにとどまる」(片岡訳。以下同) ことを望むなら、方法がひとつあるという。

ひとつの道が開かれている。苦しみの光景を拡散し、人びとに伝えていくことだ。けれどもそこで描き出される光景は、現実にも事実にも即したものにはならない。

（第7章第1節）

遠くの苦しみの拡散は、なぜ現実から離れ、事実を歪めることになるのか。拡散は基本的に、視点の複数性を消し去る。各自がそれぞれの視点に立ち、その苦しみとはどの程度のものなのか、あるいはそもそも実在のものなのかといった議論を始めるなら、拡散の勢いは削がれてしまうだろう。おぞましさは絶対的なものでなければならない。こうして人びとは単一の視点に立ち、その代わり、強い感情とともに拡散に努めることで個々の思いを表現しようとする。

検証を免除されたおぞましい光景が一斉に拡散され、各自のものでありながら奇妙なことにまったく同一のもののように見える強い感情――憤りが共有されていく。この感情はもはや、苦しんでいる誰かのケアには向かわない。それは被害者から離れ、加害者への告発として噴出する感情だとボルタンスキーは言う。

憤りと告発は、社会を動かす力になる。けれども問題は、それが事実を必ずしも尊重しないこと、さまざまな視点を許容するはずの複雑な現実を、ただひとつだけの印象を持つことしか許されないあまりにも単純な何かに――さらには偽りのイメージに――変えてしまうことだ。

苦しんでいる誰かの存在が強く確信されており、そこには検証の余地などないとされているとき、歯止めのかからない告発はどこまでも激しくなることができる。例えば、こんな風に（図1参照）。

憤激から告発へ、さらには糾弾へと続く一連の流れに身を委ねるとき、ひとは不幸な誰かの苦しみを口実にして、自分自身の加害への衝動を満足させているのではないか——このように問いかけるボルタンスキーは、フランス革命期の恐怖政治を論じるハンナ・アーレントを引き合いに出しながら、弱者から強者へと向かい激化するこうした告発が、どのような効果をもたらしうるのかを説明している。

> 告発は、苦しみを一掃するという見せかけのもとに実は苦しみを増大させ、社会全体に苦しみを押し広げていく。告発は、糾弾を繰り返すことで他の苦しみを、他の不幸な人びとを生み出していくのだから。
> （第4章第7節）

アーレントによれば、「われわれを弱き人びとに引きつけるかの重々しい衝動」（ロベス

死ね死ね死ね死ね死ね死ね死ね死ね死ね死ね死ね死ね死ね死ね死ね死ね死ね死ね死ね
死ね死ね死ね死ね死ね死ね死ね死ね死ね死ね死ね死ね死ね死ね死ね死ね死ね死ね死ね
死ね死ね死ね死ね死ね死ね死ね死ね死ね死ね死ね死ね死ね死ね死ね死ね死ね死ね死ね
死ね死ね死ね死ね死ね死ね死ね死ね死ね死ね死ね死ね死ね死ね死ね死ね死ね死ね さ
ん 2004年12月11日(土) 19時50分 返信
(YahooBB218114022141.bbtec.net) Mozilla/4.0 (compatible; MSIE 6.0; Windows NT 5.1; SV1; .NET CLR 1.1.4322)

死ね死ね死ね死ね死ね死ね死ね死ね死ね死ね死ね死ね死ね死ね死ね死ね死ね死ね死ね死
ね死ね死ね死ね死ね死ね死ね死ね死ね死ね死ね死ね死ね死ね死ね死ね死ね死ね死ね死ね
死ね死ね死ね死ね死ね死ね死ね死ね死ね死ね死ね死ね死ね死ね死ね死ね死ね死ね死ね死
ね死ね死ね死ね死ね死ね死ね死ね死ね死ね死ね死ね死ね死ね死ね死ね死ね死ね死ね死ね
死ね死ね死ね死ね死ね死ね死ね死ね死ね死ね死ね死ね死ね死ね死ね死ね死ね死ね死ね死
ね死ね死ね死ね死ね死ね死ね死ね死ね死ね死ね死ね死ね死ね死ね死ね死ね死ね死ね死ね
死ね死ね死ね死ね死ね死ね死ね死ね死ね死ね死ね死ね死ね死ね死ね死ね死ね死ね死ね死
ね死ね死ね死ね死ね死ね死ね死ね死ね死ね死ね死ね死ね死ね死ね死ね死ね死ね死ね死ね
死ね死ね死ね死ね死ね死ね死ね死ね死ね死ね死ね死ね死ね死ね死ね死ね死ね死ね死ね死
ね死ね死ね死ね死ね死ね死ね死ね死ね死ね死ね死ね死ね死ね死ね死ね死ね死ね死ね死ね
死ね死ね死ね死ね死ね死ね死ね死ね死ね死ね死ね死ね死ね死ね死ね死ね死ね死ね死ね死
ね死ね死ね死ね死ね死ね死ね死ね死ね死ね死ね死ね死ね死ね死ね死ね死ね死ね死ね死ね
死ね死ね死ね死ね死ね死ね死ね死ね死ね死ね死ね死ね死ね死ね死ね死ね死ね死ね死ね死
ね死ね死ね死ね死ね死ね死ね死ね死ね死ね死ね死ね死ね死ね死ね死ね死ね死ね死ね死ね
死ね死ね死ね死ね死ね死ね死ね死ね死ね死ね死ね死ね

普通人 さん 2004年12月01日(水) 08時07分 返信
(p2236-ipbf09okayamaima.okayama.ocn.ne.jp) Mozilla/4.0 (compatible; MSIE 6.0; Windows NT 5.1; FunWebProducts; SV1; .NET CLR 1.1.4322)

真面目に僕はミュージシャンですが、あなた誰？オヤマダ？ホントに知らないですね。
楽器とかの木材すら勿体無いので今すぐミュージシャン辞めて下さい。
お願いします。

t/miyazaki さん 2004年11月30日(火) 13時29分 返信
(YahooBB219034157025.bbtec.net) Mozilla/4.0 (compatible; MSIE 6.0; Windows NT 5.1; SV1)

取り敢えず死ね。

まんこ さん 2004年11月27日(土) 04時30分 返信
(h219-110-040-045.catv01.itscom.jp) Mozilla/4.0 (compatible; MSIE 6.0; Windows NT 5.1; .NET CLR 1.0.3705)

うんこはくえないよ

【図 1】2004年のコーネリアスファンサイトの掲示板より

ピエール）といったものを唯一の原理とすることで、フランス革命は意見の多様性を押しつぶす暴力へと道を開くことになった。また彼女の指摘のなかで注目に値するのは、不幸な人びとへの思いは、最初は具体的な個人を念頭に置いていても、たやすく抽象化され、現実から遊離してしまうということだ（『革命について』志水速雄訳、ちくま学芸文庫、1995年、第2章）。

2021年7月、小山田圭吾はインターネットでの「炎上」を機に過去の発言が国内外のメディアで報道されるなか、東京オリンピック・パラリンピック開会式の音楽担当を辞任することになった。

取り沙汰されたのは、1990年代半ばの雑誌インタビューに掲載された、学校生活時代の「いじめ」をめぐる発言だ。それも、障害のある生徒が対象となったとされることから、とりわけパラリンピック開会式への関わりが問題視されたのだった。

騒動の影響はさらに広がった。放送開始以来10年にわたり中心スタッフとして音楽を担当してきたNHK Eテレの人気番組『デザインあ』は放送休止となり、メンバーを務めるバンドMETAFIVEの新アルバムはプレス済みであるにもかかわらず発売中止（延期ではなく！）となり、ソロプロジェクト「コーネリアス」としてのフジロックフェスティバルへの出演は見合わされた。[*1] 9月になって、小山田は「週刊文春」の取材を受けるとともに、公式ウェブサイトおよびＳＮＳを通して「お詫びと経緯説明」（英語版は"A public statement from Keigo Oyamada"）を発表したものの、事態の打開にはほど遠い状況と言わざるをえない（本章の元になった原稿が発表されたのは、２０２１年の暮）。

いじめは許されないということは、今日ほとんど反論不能の倫理的規範の一部となっている。けれども、炎上時に52歳、１９６９年1月27日生まれのミュージシャンの小中高時代と言えば三十数年から四十数年前、一連の出来事がインタビューで語られたのも四半世紀前にさかのぼる。12年間の学校生活のなかで、[*2] 彼がどのような行為にどのようなかたちでどの程度関わったのか、行為の対象となった生徒の当時の苦しみはどの程度であり、それを今なお抱えているのだとして、その深刻さはどの程度のものなのか。

ボルタンスキーは１９９３年に、遠くの苦しみが引き起こす感情は報道という媒介を通してもたらされる感情であると指摘しつつ、こうした「メディア由来の感情」は、現実由来の感情とフィクション由来の感情のあいだで不安定な位置を占める」と論じた（第9章第3節）。わたしたちが経験したばかりの２０２１年の炎上では、媒介性の問題はいっそう複雑なものとなっている。ジャーナリズムの報道に先立ついじめの事実自体、加害者とされる人物のメディアでの四半世紀前の発言を通してしか知られていない。しかも、1990年代半ばと2021年のあいだには――のちに検証するように――、アンダーグラウンドな領域を含めたウェブ空間での動きが介在している。

それでも、憤り告発する無数の第三者にとって、判断材料の不確かさや乏しさは必ずしも問題にはならないようだ。そもそも多くの人びとはこの個別的な事例自体に関心があるのではなく、自分自身の経験や「いじめ」をめぐる通念を根拠に小山田の一件を判断している。アーレントが述べたように、不幸な誰かへの思いはたやすく個々の具体的な状況を離れ、被害者像は――それに伴って加害者像も――抽象化されてしまう。各自が自分の経験や一般的な通念を投影しながら憤りを小山田圭吾にぶつけることができるのは、このような心の働きによっているのだろう。

こうして、遠くの苦しみが拡散され、広く共有された憤りが「加害者」への告発を過熱させるという流れのなかで、判断材料の検討は無用とされてしまった。ボルタンスキーは、遠くの苦しみを拡散し加害者を告発する第三者の言葉について、このように述べている。

そうした言葉は、苦しみの存在によって神聖不可侵な性格を与えられている。実際、議論の余地などない、というのがそうした言葉の持つ特徴のひとつだ。まさにそのために、この種の言葉は厳密な意味では意見の領域に属さない。やり取りから生じるのは、「感情の共有」だ。（第3章第4節）

この社会学者が続けて述べるところでは、こうした場合に感情の力を抑制するにはふたつの手段しかない。第一に、憤りの感情が向けられている「事実」を検証すること。第二に、告発しているひとの意図を問い質し、憤りの感情がまっとうなものかどうかを見定めること。

本書の元となった原稿は、2021年夏の国際的なスキャンダルに関して、このふたつの作業に取り組むべく書き始められた。

今回の件では、とりわけ前者の作業は複雑なものとなる。問題とされる「事実」が、大きく言って3つの時期、3つの局面を経て形成された複合的な構築物だからだ。第一に、小山田の小中高校時代の出来事。第二に、1990年代はじめから半ばにかけて、ミュージシャン小山田が雑誌で語った（あるいは語らされた）こと。第三に、2000年代のアンダーグラウンドなサイバー空間で生成され、あるブログを介して2010年代を通して広く共有された小山田像。

この第三のものをそのままある大手新聞が内外に報じたことで、小山田圭吾の音楽家としてのキャリアは中断を余儀なくされることになった。それではこの小山田像はどの程度現実に即しているのか。

その点を検証するために、全5章からなる本書は、まず第1章において、奇妙なことにほとんど言及されることがないソロデビュー以前の重要な雑誌記事（「月刊カドカワ」角川書店、1991年9月号）を取り上げ、そこで障害のある児童・生徒との交流がどのように語られていたのかを見る。

続くふたつの章では、2000年代から今回の炎上に至る過程で主要に言及されてきたふたつの雑誌記事の成立の背景を扱う。第2章では、小山田自身の不用意な「いじめ」発言の背景と、そうした発言に飛びついてそれを誇張的に歪めた「ロッキング・オン・ジャパン」（「ROJ」）。ロッキング・オン社）編集長（当時）山崎洋一郎の思惑が分析される。

第3章では、その記事を真に受け小山田を「いじめっ子」代表と見込んで企画を立てた「クイック・ジャパン」（「QJ」）。太田出版）編集部のライター（当時）村上清と、同記事によって広まった重大な情報だけは修正したいと考えて取材に臨んだ小山田の破局的な同床異夢から生まれた、「いじめ紀行」第1回という厄介で両義的な雑誌記事の内容が検討される。

続く第4章は、この「いじめ紀行」の背景を、しばしば安易に結びつけられる1990年代の「鬼畜系」や「悪趣味系」といった過去の一時期の事象よりも広い文脈で理解するために、1980年代半ばに成立し今日に至るまでわたしたちを拘束し続けるいじめ観それ自体の問題を論じる。

最後の第5章では21世紀のサイバー空間に焦点を当て、巨大匿名掲示板を中心とするアングラ的な「エコーチェンバー」の内部で生まれた歪曲的な小山田像が、2021年夏の爆発的な「インフォデミック」を引き起こすまでの経緯がたどられる。

＊

開会式の音楽担当辞任表明の直前、炎上が熾烈(しれつ)をきわめていた頃、「Yahoo!ニュース(個人)」に発表の場を持つジャーナリスト今井佐緒里は「小山田氏は『社会の越えてはならない一線』を越えてしまったのだと思う」と感想を記し、イタリア画家カラヴァッジョの生涯——この天才画家は、度重なる乱闘の果てに殺人を犯しローマを追放された——を想起しつつ、「コーネリアスにとってのナポリやマルタ島を探すのが良いのだろう」と提案していた（「小山田氏問題。どこまで『いじめ』の内容を報じているか。国内と海外メディア、二つの断絶とは。」2021年7月19日）。小山田圭吾はもはや、オリンピック・パラリンピックへの関与はもちろんのこと、自国での——さらにまた、国際的に報じられた以上は、米国をはじめ国外の多くの場所でも？——活動全般を許されずとも仕方がないというのだ。

　ここで誇張と言うべきなのは、小山田圭吾の才能をカラヴァッジョのそれになぞらえている点ではない。誇張は、学校時代から現在にかけての人生のなかで、小山田がバロック期の放埓（ほうらつ）な天才に匹敵する行状を示してきたかのように示唆している点にある。

　本書を通して、到底そのようなことは言えないことが明らかになるはずだ。それでも、ある意味で、この比較は適切なものだとも言える。今井が漠然と囚（とら）われているような負の神話は解体されるべきであるにしても、カラヴァッジョの天才性はやはり、当時のローマの猥雑（わいざつ）な活気のなかを生き抜いた荒々しい人となりを抜きにして考えることはできない。人と作品が決して無関係ではないというこの事情は、小山田についても同様だ。

　それではわたしたちは、凄惨ないじめ加害者としてのイメージの妥当性を再検討する過程で、小山田圭吾とどのように出会いなおすことになるのだろうか。

2　小山田圭吾とはどのような音楽家なのか

そうした検討作業に先立って、まずはすべての前提となる事実を確認しておこう。小山田圭吾は間違いなく、過去四半世紀の日本の音楽を世界に向けて代表するひとりだ。あるいはむしろ、このような評価はかえって不当だとさえ言えるかもしれない。小沢健二とのデュオ、フリッパーズ・ギター（1989—1991）解散後にCornelius／コーネリアスを名乗ってソロプロジェクトを始動し（1993—）、「渋谷系のプリンス」[*3]として首都の一角の文化的環境の顔とみなされた音楽家は、1997年の傑作『Fantasma』の全世界リリースにより世紀末日本文化の粋を体現する存在として惑星を驚かせたのち、2001年の『Point』に至って、特定の地域性を超えたところで聴かれる普遍的な音楽のつくり手となった。[*4]

「from Nakameguro to Everywhere」――渋谷のようなシンボリックな街ではない匿名的な場所から発せられ、どこにでも届く音楽。『Point』のジャケットに記されたこのメッセージは、やがて再開発により様変わりした中目黒からスタジオを桜新町に移したのちのリイシュー版（2019年）で「from Here to Everywhere」と改められただけにいっそう、今日の小山田の音楽に対する姿勢を明確に表現している。

『Point』以後の20年、コーネリアスの音楽を必要とする人びとが世界に絶えることはなかった。ここではそのことを、現時点での最新オリジナル・アルバム『Mellow Waves』（2017年）発売時のふたつの有力メディアの記事を通して確認するにとどめたい。

北米をはじめ世界中の若い世代の支持を集めるデジタルメディアVICEの音楽部門Noiseyは、「コーネリアスの甘く柔らかな波に身を委ねる」と題した取材記事を掲載、インタビューの前文で11年ぶりの新作をこのように歓迎した。

> 世界はコーネリアスの新しい音楽を必要としていた。そして今それが、どんな不安なひとの心をも満たすだけの人間味を備えた、魂の慰めとして到着した。
>
> （Algodón Egipcio, "Succumb to the Mellow Waves of Cornelius," July 29, 2017）

今や既存の音楽誌を上回る権威を得るに至った北米の音楽レビューサイト「ピッチフォーク」もまた、先行シングル曲「あなたがいるなら」を「Best New Track」（May 15,

2017）に選び「コーネリアスが帰ってきた」と歓迎したのちに、アルバム評ではこのように結論づけている。

フリッパーズ・ギターを解散し、彼個人の〈猿の惑星〉にたどり着いてから四半世紀、小山田圭吾は一種の天才であり続けている。

(Jesse Jarnow, "Cornelius: Mellow Waves Album Review," July 20, 2017)

『Point』に戻るなら、この作品はまた、音楽と映像をシームレスに結びつける新しい探究の出発点ともなった。この時期以降、コーネリアスはライブとミュージックビデオを通し、楽曲と不可分の印象を与える鮮やかな視覚上の冒険によっても国内外で注目を集めてきた。とりわけ、映像面での主要なパートナーとなった辻川幸一郎の貢献は大きい。
「Drop - Do It Again」のビデオは2000年前後のデジタルフィルムの世界的ショーケースだった米国レスフェストでベストオーディエンス賞を受け（2003年）、「Fit Song」のビデオは日本の文化庁メディア芸術祭のエンターテインメント部門で優秀賞を受けた（2006年）。「21世紀の音楽と映像（Music and Motion Pictures of the 21st Century）」を謳って２００８年に発売され、第51回グラミー賞の最優秀サラウンド・サウンドアルバム部門にノミネートされた『Sensurround + B-sides』——２００６年のアルバム『Sensuous』全曲のミュージックビデオ集にB面集のCDを併せた海外版——も、直接の評価対象はフリッパーズ時代からの付き合いであるサウンドエンジニア高山徹との共同作業であるが、上記「Fit Song」をはじめ映像の大半は辻川によるものだ。

その辻川を映像監督のひとりに迎えた東京２０２０オリンピック・パラリンピックの開会式（２０２１年7月23日）で小山田圭吾が作曲を務めるというのは、だから過去20年の日本人による文化実践の最も先鋭的な部分がどこにあったのかを思い、それが獲得してきた国際的反響に鑑みるなら、最良の選択肢のひとつだったと言えるだろう。

こうしたことを書き連ねてきたのは、21世紀の小山田圭吾が、その評価の国際的な広がりの一方で必ずしも多くの同国人によって知られた存在ではなく、一般的なマスメディアでその名が口にされる場合には、１９９０年代にある程度の社会現象となった「渋谷系」の文脈との関係でのみ紹介されがちだという事情があるからだ。*5

そしてここで、自分の音楽が内外の限定的なオーディエンスに高く評価されるという今世紀の展開に、小山田がすっかり満足していたわけではなさそうだ、ということを強調しておく必要がある。『Fantasma』を経て『Point』で到達することができた地平の独創性に深い自信を持ちながらも――「『POINT』以降に関しては、ほかに似たものがない。ここにしかないって手応えがある」(「ミュージック・マガジン」2013年12月号)――、この新しい音楽が、少なくとも国内でリスナーの減少を招いたという事実を、彼は最近になっても気にかけている。

『Fantasma』の半分くらいの売上になっちゃったんだよね。レコード会社も調子が悪いときで、スタッフにギャラが払われなかったとかあとから聴いた。ライヴも良かったし、海外ではちゃんとレヴューをしてもらえたけど、日本ではダメだった気がするな。

〔…〕自分的には、「最高、やっとちゃんとできた」と思ったのに、「地味になった」と言われて。

(『続コーネリアスのすべて』別冊ele-king、Pヴァイン、2019年)

『Point』発売時、「ROJ」2001年11月号のインタビューで、小山田は前年冬に生まれた子どもとの関わりをひとつの契機として、音楽との新しい付き合い方へと導かれたことを証言している。レコードやライブからの触発にもまして、日々の現実のなかから生まれてくる音楽。鳥たちや虫たち、そして水の音といった現実を入り口にして展開され、脱線の果てにまた現実へと連れ戻されるような音楽。

こうした新しい音楽の試みについて語ったのち、聞き手の鹿野淳（あつし）に今回の作品と「ポップミュージック」という言葉は結びつくのかと問いかけられて、小山田は「これがポップミュージックだったらいいなあっていうのは、ある」と答えている。しかしすでに見たように、今日なお新鮮なこの傑作アルバムは、ポピュラーな流通性の点では満足のいく成果を挙げることがなかった。

『Point』以後の彼は内外で「ミュージシャンズ・ミュージシャン」のような地位をいっそう確かなものとしていったけれど、[*6] 現実の世界との結びつきを深めたはずの自分の音楽を通して、もう少し広く社会とつながることができたら、という思いが失われることはなかったように思われる。そんな小山田にとって、ＮＨＫ Ｅテレの教育番組『デザインあ』（２０１１年4月より本放送開始）の音楽を担当し、[*7] 創造的な音楽によって子どもたちの日々と関わるようになったおよそ10年間の経験が、どれほど喜ばしく充実したものだったかは想像に難くない。

夏の騒動ののち、彼は先述の「お詫びと経緯説明」（2021年9月17日）で、次のように記している。

10年間携わらせていただいた「デザインあ」は、自分の仕事の中でも、特に思い入れの深いものでした。番組制作に参加させていただいたことで、自分の音楽が初めて社会との繋（つな）がりを持てたような充実感があり、子どもたちの感性を刺激する手伝いをさせてもらえることに、自分の作品作りだけでは味わったことのない種類の喜びを感じておりました。

東京オリンピック・パラリンピック開会式の音楽担当を引き受けたのは、豊かな才能をもって社会と関わることを喜びとするこのような芸術家だった。

3　反五輪的情熱のなかで

そんな小山田は、どのようにして辞任を余儀なくされたのか。決定的な役割を果たしたのが、SNSの「炎上」を内外に報道した「毎日新聞」であることをここで確認しておきたい。

7月23日の開会式で小山田圭吾が作曲を担当することが発表されたのは同月14日夜、おそらく21時台だと思われる。そして翌日のツイッターの「炎上」を、「毎日新聞」はその日の夜には報じてしまう。以下、この宿命的な1日のツイッターの動向（キーワード：小山田圭吾）を簡単にたどり直してみよう。なおこの件の初期報道については、ブロガーのkobeni（こべに）による詳細な検証記事「小山田圭吾氏いじめ記事に関する検証 その1．拡散までの経緯、初期報道の問題点」（「kobeniの日記」２０２１年8月26日）も併せて参照されたい。

発表後数時間は歓迎の声に占められていたものの、日付が変わって深夜1時台に、問題の件を深く心にとどめてきたらしい人物により最初の告発的ツイートが連投される。

> すごいね。学生時代に障害者を全裸にしてグルグルに紐を巻いてオナニーさせてウンコを食わした上にバックドロップしたり（本人談）してた小山田圭吾がオリパラの音楽やるんだからさ。強烈な皮肉だよ。

小山田圭吾、散々虐め尽くした障害者の祭典であるパラリンピックの仕事受けるのどういう気持ちだったんだろう。多分カネもらえるならラッキー✌くらいなんだろうなー。

小山田圭吾が障害者にウンコ食わせたことをロッキンオンのインタビューで笑い話にしたことだけは絶対に語り継がなければならない

これらのツイート（順に1時37分、43分、45分）自体が大きな反響を得たわけではないが、この問題をめぐる反応のひとつの典型として記録に値するだろう。いずれにせよ、15日早朝、「小山田圭吾」が日本語ツイッターのトレンド入りする頃には、喜びの声に混ざってこうした反発が大きく広がっていた。反発の声のなかには、この件についてもともと意見を持っていた人びとのものもあれば、今回初めて情報を得てにわかに憤激した人びとのものもあった。

そして決定的だったのは、午前7時43分に投稿された以下のツイートだ。

オリパラ開会式の作曲メンバーに選ばれた小山田圭吾さんってどんな人なのかなと思ったら、雑誌のインタビューで障がいがある同級生への壮絶ないじめを武勇伝みたいに語ってる。／いじめというより犯罪で読んでて吐きそうになった。／こんなのオリパラの作曲させるのか…。

自公政権と五輪開催への反対姿勢で知られ、約2万5000フォロワーを抱える有力アカウント「はるみ」によるこのツイートは、大規模に拡散された。リツイートしたなかには、毎日新聞デジタル報道センターのある記者の個人アカウントもあった。そして早くも同日19時59分には、同センターの別の記者により毎日新聞デジタルに記事が掲載される。「小山田圭吾さん、過去の『いじめ告白』拡散　五輪開会式で楽曲担当」（16日朝刊28面にもほぼ同文が掲載）。冒頭を引用しよう。

東京オリンピックの開会式の楽曲を担当する小山田圭吾さんが過去に雑誌のインタビューで長年にわたって同級生をいじめていたと告白していたことを巡り、15日に「いじめ自慢」としてツイッターでトレンド入りするなど「炎上」状態になった。

その後に同記事は、「炎上の発端」として上記「はるみ」のツイートに、アカウント名を明示することなく言及する。１９９０年代半ばの雑誌2誌のインタビューを根拠に、そのツイートでは「小山田さんが通っていた私立小学校から高校で、障害者とみられる同級生2人をいじめていたと明かしたとされていた」のだという。

問題の雑誌は、「ＲＯＪ」１９９４年1月号と「ＱＪ」第3号（１９９５年8月）だ。実のところ、「はるみ」のツイートの直接の根拠はこれらの雑誌記事それ自体ではなく、両者を引用し論評するあるブログ——のちに検討する「孤立無援のブログ」——の記事であるにすぎない。その意味でこの「毎日新聞」の記事の記述は正確さを欠く。

おそらくそうした指摘を想定していたのだろう、この記事には「ＱＪ」のインタビュー記事のコピーの写真が添えられている。「はるみ」のツイートに代わって原典に当たる労を取り、引用箇所がたしかに誌面にあることを確かめて、炎上には正当な根拠があるのだとアピールしたかったのだろう。ただし記者は明らかに「ＱＪ」記事の全体を丁寧に読む努力をしておらず、そのため元のブログ記事の偏見に満ちた読解をそのまま引き継ぐことになっている。

この記事を執筆した山下智恵記者は16日14時半過ぎに、次のようにツイートした。

> 書きました。最初は書いていいのか迷いました。ですが大きな怒りが巻き起こったことは事実として記すべき事案と思います。この怒りや違和感をどう受け止めますか組織委さん。

この観点からすると、憤りの向かうべき先はアーティスト当人である以上に五輪組織委員会であることがわかる。先ほど本章の第1節で掲げた第二の課題、つまり告発者の意図を探るという目的の一端は、こうしてたやすく達成されてしまう。先ほどツイートを引いた「はるみ」にしても、「こんなのオリパラの作曲させるのか…」というときに考えているのは、よりよいオリンピック・パラリンピック開会式の実現ではない。「こんなの」に仕事を任せるような五輪組織委や政府を告発したいという情熱が、このようなツイートを書かせている。

7月16日18時半過ぎに、ツイッターのコーネリアス公式アカウント上に小山田圭吾の謝罪文が投稿される。「毎日新聞」以外の主要紙はそれを受けて初めて、同日夜または翌17

日午前中までに、この件に関しウェブ上に記事を掲載した。「日経新聞」「産経新聞」「東京新聞」の記事は共同通信ベースであり、「読売新聞」の記事もそれに準じるごく簡潔なもの。いずれの記事も無記名だ。謝罪文発表を待って記事化するというのは、ツイッターでの炎上段階で取り上げることは差し控えるという慎重さの表れだろうが、そもそもこの問題に関する強い関心が感じられないようにも思う。

なお、「朝日新聞」は記者2名の記名記事を掲載した（ウェブ版16日、紙面は17日朝刊）。先述の検証記事を執筆する過程で大手各紙の記事を比較検討したkobeniがツイートで指摘しているように（2021年8月26日）、「QJ」の記事に実際に当たり、事実として報道できる部分を丁寧に見極めようという姿勢で書かれている印象だ。

インターネットの「炎上」を報じ、ただちに英語版も公開した「毎日新聞」は、この件を内外の主要メディアで扱われるにふさわしい大問題として確立するのに決定的な役割を果たした。問題は、性急に書かれた山下記者の記事が、雑誌原典に当たったという口実のもと、実際には最初に閲覧したブログ記事の偏見――そこでブログ主は、2000年代の「2ちゃんねる」由来の小山田圭吾像をそのまま記事化している――に大手メディアのお墨付きを与え、内外に向けて広く拡散を促すことで、近年の米国で「情報ロンダリング」

と呼ばれる操作を遂行する結果となっているということだ。

4 「月刊カドカワ」1991年9月号——「K」との日々の重み

この問題については第5章で主題的に検討することとして、まずは小山田圭吾が1990年代の雑誌に残した一連の発言を、その文脈を含めて見ていくことにしたい。

小山田はいじめ、それも「障害者とみられる同級生2人」へのいじめのために告発された。けれども、根拠とされる1994年と1995年の2誌に先立ち、彼はソロデビュー前の「月刊カドカワ」1991年9月号（図2参照）で、すでに障害のある児童・生徒との関わりを語っていた。そしてこの記事からうかがえる関係性は、いじめっ子／いじめられっ子というのとは異なっている。

フリッパーズ・ギター特集の一環として掲載されたこの「スピリチュアル・メッセージ」（インタビューを長い独白として構成した同誌恒例の記事）で、彼は小学2年時のある「知恵遅れの子」との出会いを振り返っている。なお——当時の小山田によるこの言葉の使用を差別意識の表れとして糾弾する向きがあるので付言しておくと——、「知恵遅れ」という言葉は当時、当事者家族や教育現場でもふつうに用いられていた。*8

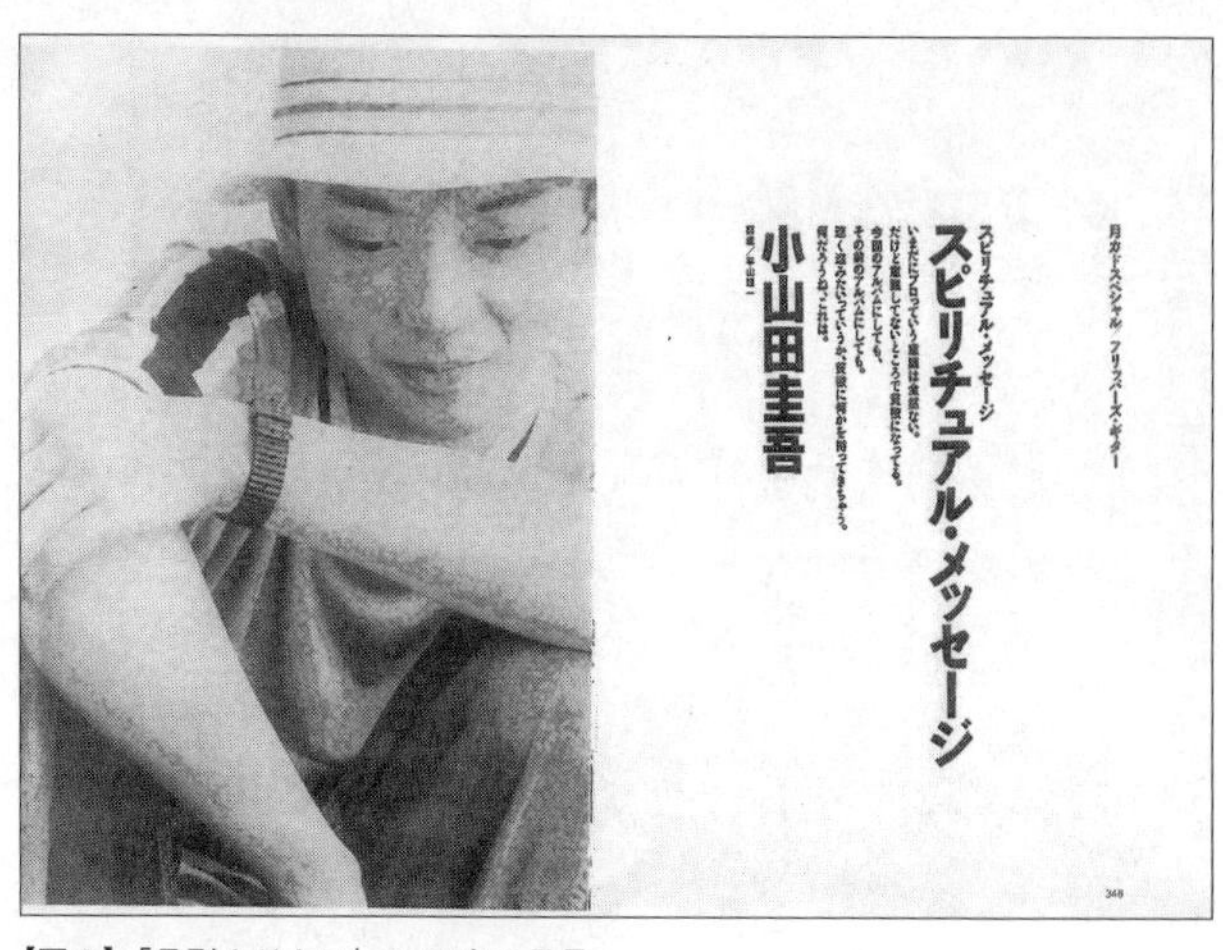
月カドスペシャル／フリッパーズ・ギター

スピリチュアル・メッセージ

スピリチュアル・メッセージ

小山田圭吾

348

【図2】「月刊カドカワ」1991年9月号

二年のときにKという知恵遅れの子が転校してくるんです。ぼくらの学校は身体障害者の人が多いんだけど、特別にクラスは作らないで普通に入ってくる。Kは高三まで同じクラスだった。強力なインパクトのあるヤツだった。ぼくだけじゃなく、みんなにインパクトを与えたと思う。Kとは小学校のときはわりと距離を置いて付き合ってたんだけど、高校に入ってから意外に密接な関係が出てくる。（348頁）

小山田は小学校から高校までの12年間を、和光学園の生徒として過ごした。障害のある児童・生徒を普通学級に受け入れるこの学校の独自の体制については、第3章で改めて取り上げることにしたい。

ここで「K」として登場する児童は、数年後の「QJ」誌上に「沢田君」(仮名)として再登場し、小学校から高校にかけての関わりが改めて語られることになる。この1991年の「月刊カドカワ」誌上でも、Kは小・中・高すべての時期の回想で多少とも言及される唯一の人物であり、小山田の学校生活全体のなかで最も記憶に残った学友のひとりだったことが察せられる。

では次に、彼の中学時代の日々のなかに、Kがどのように現れていたのかを見てみよう。

中学になると、人当たりが悪くなって。クラスに友達があまりいなくて、すぐにイジケるタイプに変わったんだよね。あまりしゃべらなくなった。休み時間は仲のいい友達とクラスを出て、他のクラスの仲のいい友達と遊ぶみたいな感じ。中学になると音楽がすごく好きになって、そういう話もできる人としか話さなくなった。

Kはね、体がでかくて、小学校のときは突然牛乳ビンで人を殴ったりしてたんだけど、中学になるとそういうことはしなくなった。大人になったみたいで。

同じクラスにひとり仲のいい子がいた。その子のお兄さんがパンク系が好きで〔…〕。
（350頁）

まず確認しておくと、最初の引用中には「高三まで同じクラス」とあったけれども、のちの「QJ」での発言からすると、中学時代のふたりは別クラスだったようだ。とはいえ上記引用にあるように、小山田はそもそもわずかな例外を除き同クラスの友人を持たず、趣味を共有するクラス外の友人と行動をともにするようになっていた。中学時代のKは、別クラスであるばかりか音楽の話をするような仲でもなかったことから、このように遠くから観察するような語り口での言及にとどまっているのだろう。

しかし同じクラスに戻る高校時代の回想では、Kとの「密接な関係」の始まりとそれが彼にもたらした深い印象が具体的に語られる。以下、長くなるが該当部分全体を引用しよう。

高校になると、すごく仲良かったヤツが違うクラスになっちゃって、クラスに友達がいなくなっちゃった。そうしたら、Kが隣の席なの。アイウエオ順で、小山田の次がＫ（笑）。クラスにいるときは、Ｋとしか話さなかった。Ｋって特技がひとつだけあって、学校の全員の名簿を暗記してるの。バスの中で一緒になったとき、「あいつの住所は？」ってきくとペラペラペラペラって出てくるの。見たこともない下級生や上級生の電話番号とか兄弟もわかってる。で、高校になるとみんな色気づいて下敷きの中にアイドルの写真とか入れてくるじゃん。Ｋも突然入れてきた。何かなと思って見たら、石川さゆりだった。「好きなの」って言ったら、「うん」。それから、Ｋは鼻炎だから、いつも鼻かんでるんだけど、ポケットティッシュだとすぐなくなっちゃう。だから購買部で箱のティッシュ買ってきて紐つけてあげた。それでＫはいつも首から箱をぶら下げてた。難しい漢字にもすごく詳しかった。暗記には異常に強かった。俺はいつもビクビクしてたの。ある日、突然キリッとした顔して真面目なこと言い出したら怖いなって。「本当は俺は……」って。だって下敷きに石川さゆりを入れてるのも、ギャグなのか本気なのかわからないじゃない。ギャグだとしたらすごいじゃない。で、ずっと観察してたんだけど、そういうことはなかった。だけど風の噂（うわさ）だと、Ｋがどこかで森鷗外の小説を読みながら歩いていたという話をきいた。

（３５１頁）

中学・高校時代の小山田は、後輩のひとりが「本人は嫌がりますけれど、やっぱり小山田さんは和光を引っ張っていた」と証言するように紛れもない人気者だった一方[*9]、決して優等生ではなく、この「月刊カドカワ」の記事でも、高1の時点で和光大学への進学を諦めるほど遅刻・欠席が多かったことを認めている（352頁）。

やがてフリッパーズ・ギターの活動をともにすることになる小沢健二とは、和光中で同学年だった時期にはさほど親しくなく、小沢が和光を離れ神奈川県立多摩高校に進学したのちに音楽を通して友人となったのだという。放課後に待ち合わせ、御茶ノ水の貸しレコード屋ジャニスで大量のレコードを借りてから、小沢宅に行ってそのまま泊まってしまうこともあった。「小沢は学校に行くの。ぼくは小沢の家で寝てたり（笑）」（同頁）

そんな高校時代の彼がそれでも学校に顔を出した際、クラスで唯一の、というのは誇張が過ぎるのだろうが、数少ない話し相手となったのがKだったということだ。先ほど引いた回想からは、この同級生が健常者とは別のやり方で発揮する知性を前にして、小山田が感じた驚きと賛嘆がよく伝わってくる。

隣席のKの鼻水の様子を気にかけながら、彼は今日に見えているものは見せかけにすぎないのかもしれないという意識に捉えられていた。もちろん、Kが実際に「森鷗外の小説を読みながら歩いていた」というわけではないだろう。重要なのは、小山田はこの知的障害のある生徒を、健常者と社会生活を共有することの困難な「弱者」というよりも、健常者とは別のチャンネルを通して世界と触れ合い、常識的な眼差(まなざ)しに映るものの一面性を思い知らせてくれる存在とみなし、ある意味では分け隔てなく、ある意味ではかすかな畏怖をもって付き合っていたのだろうということだ。

ふつうそのように見える／聞こえる、というときの「ふつう」を信用せず、思いがけないアプローチで世界に触れ直すことを可能にするこうした感覚が、コーネリアスの全音楽を――さらに言えばヴィジュアル面での探究を含めたアーティストとしての全冒険を――支えている。そのように考えるなら、あの遊び心に満ちた「思ってたんとちがう」をはじめとする『デザインあ』の中心スタッフとして、放送開始以来そのサウンドトラックを担ってきたのも当然だと言えるだろう。

さらに言えば、「弱者」への思いやりといった表面的な次元とは一線を画したところで障害者と関わりながら少年期を過ごしたように見える卓越したミュージシャン以上に、パラリンピックの幕開けに音楽を添えるのにふさわしい存在はそうはいないのでないかと思えなくもない――少なくとも、この「月刊カドカワ」の記事を読む限りでは。

第2章

「ロッキング・オン・ジャパン」はなぜいじめ発言を必要としたのか

1 「ロッキング・オン・ジャパン」1994年1月号――「2ちゃんコピペ」の起源

小山田圭吾の学校生活についてなんらかの感想を持ちその感想を公にしている人びとの大多数は、第1章で見た「月刊カドカワ」1991年9月号の記事の読後感によってそうしているのではない。「ロッキング・オン・ジャパン」(「ROJ」) 1994年1月号と「クイック・ジャパン」(「QJ」) 第3号 (1995年8月) のウェブ上の抜粋を見て――あるいはそれに基づく報道や風説に触れて――そうしている。

小山田圭吾をめぐる今日の状況は、「月刊カドカワ」の記事が忘れ去られる一方、「ROJ」と「QJ」の記事の抜粋がウェブ上で拡散され続けたことで準備されてきたのだと言えなくもない。では両誌では何が述べられており、そこでの発言をわたしたちはどのように受け止めるべきなのか。

発表時期順に、まずは「ROJ」1994年1月号のインタビューを見てみよう。この号は同誌のリニューアル第1号にあたる。その記念すべき号で、前年9月のシングル「太陽は僕の敵」発売によりソロデビューを果たし、2月にファーストアルバム『The First Question Award』発売を控えたコーネリアスが特集され、小山田圭吾は表紙を飾るとともに名物企画「20000字インタビュー」に登場したのだ。

同誌編集長（当時——なお現在は「総編集長」の地位にある）山崎洋一郎とのこのインタビューは、全体としては決して不愉快な読み物ではなく、さまざまな興味深いエピソードを含んでいる。けれども今は、問題のくだりにのみ注目することにしよう。のちに検討する「2ちゃんコピペ」として広く拡散されることになった部分だ。

「あとやっぱうちはいじめがほんとすごかったなあ」

●でも、いじめた方だって言ってたじゃん。

「うん、いじめてた。けっこう今考えるとほんとすっごいヒドいことをしてたわ。この場を借りてお詫びします（笑）。だって、けっこうほんとキツいことしてたよ」

●やっちゃいけないことを。

「うん。もう人の道に反してること。だってもうほんとに全裸にしてグルグルに紐を巻いてオナニーさしてさ。ウンコを喰わしたりさ。ウンコ喰わした上にバックドロップしたりさ」

●（大笑）いや、こないだカエルの死体云々っつってたけど「こんなもんじゃねぇだろうなあ」と俺は思ってたよ。

「だけど僕が直接やるわけじゃないんだよ、僕はアイディアを提供するだけで（笑）」
●アイディア提供して横で見てて、冷や汗かいて興奮だけ味わってるという？（笑）。
「そうそうそう！『こうやったら面白いんじゃないの？』って（笑）」
●ドキドキしながら見てる、みたいな？
「そうそうそう（笑）」
●いちばんタチが悪いじゃん。
「うん。いま考えるとほんとにヒドいわ」

（30頁）


一読するや強烈な印象を残すこのやり取りは、21世紀になって関心層を超えて広まっていく以前から、90年代の音楽好きのあいだではたちまち共有の知識となってしまった。フリッパーズ時代の小山田・小沢のインタビューを覚えている読者であれば、当時の彼らの人を食った発言の延長線上にこの記事を受け止め、深刻に捉えずに済ますこともできた。それでも、当時一連の発言を積極的に歓迎した読者はほとんどいなかったはずだ。実際、一読して凄惨な印象を受ける加害行為を振り返るこれらの発言に触れて、残酷さと卑小さとが曖昧に入り混じった人間性以外のものを読み取るのはなかなか難しい。もちろん、作家アンドレ・ジッドがかつて述べたように、「美しい感情からまずい文学が出来上がる」(『ドストエフスキー』片岡訳)こともしばしばだし、「悪魔の協力なしの芸術作品など存在しない」(同前)というのは一面の真理ではあるだろう。こうした人間性——あるいは非人間性——もまた、ある独特の回路を経ることで、深い創造性の道へと通じているということは考えられなくもない。それにしても。

よほど情報に疎いか、アーティストの人間性をいっさい気にかけないという達観で身を鎧(よろ)っているのでない限り、過去四半世紀のコーネリアスの音楽の聴き手はほとんど誰もが、この「それにしても」を心のどこかに抱え続けていたのだと思う。

今回の大炎上を機に90年代サブカルチャーの片隅で生じた「鬼畜系」ブームなどが想起されるなかで、当時の文脈ではこうした発言が、アーティスト・イメージの構築にプラスの意味を持つことができたかのような認識が散見する。少なくともわたしの周囲では、そのようなことはまったくなかった。当時を知らない若い世代も含め、多少とも強い関心をもってコーネリアスを聴く人びとはほとんど誰もが、この発言にもかかわらずそうしてきたのだと言える。ほとんど誰もが、というのがそれほど誇張でもないのは、第5章で見るように、この発言は匿名掲示板の定番「コピペ」となって執拗に広められたのち、とりわけ2010年代になると、あるブログを通していっそう広い層に知られるようになったからだ。

2　小山田圭吾は当初から記事に困惑していた

それでは、どうしてこのような発言が掲載されたのか。ただちに指摘しておきたいのは、小山田本人が発売直後からこのインタビュー掲載を後悔し、その思いを複数の場所で公にしていたことだ。まずは、発売に合わせ渋谷HMVで行われた山崎とのトーク・イベントの席上で。ミニコミ誌「SPYS」第2号（1994、SPRING）の採録から引用しよう。


小山田・これ、読めばわかるんだけど、結構、極悪なことばっか言ってんじゃないかって（笑）。

山崎・そういう時は、ちゃーんと等身大の小山田圭吾を見せていかないと。

小山田・違いますよ。あそこにいるのはちょっと…あの日の僕は、どうかしてたんです（笑）。

山崎・でも、こういうやつだよね、基本的に。
小山田・いや、とんでもない。…読んでない人は全然わかんないよね。これ（ロッキング・オン・ジャパン）、読んでもいいけど、あんまり信じないように（笑）。
（16―17頁）

そして「ROJ」の翌月号で。山崎洋一郎によると、前号に引き続きインタビューに応じた小山田の取材開始時の様子はこのようなものだった。

「さ、取調べ始めましょうか、山崎さん」と戻ってきた小山田を見て、私は自分の罪をふと思ったのだった。
（1994年2月号、212頁）

こうして始まった取材は、当初は完成したてのアルバム『The First Question Award』をめぐり進んでいくけれど、小山田は唐突に、前回のインタビューに話題を移す。

「僕こないだのインタヴューに、少し後悔してるところがあります（笑）」

●何だよ突然。
「ははは。あの日はほんとどうかしてたんですよ（笑）。いや、僕もっと面白おかしいエピソードでできればいいなあと思ってたんだけどさ。だから別にこの『ウンコ喰わしてバックドロップ』とかそういうのはいいんですよ。でも、なんか全体的に漂う……」
●ヤクザな？
「ヤクザっていうほどじゃないところがまたなんかみみっちいしさ（笑）」
●ははは。じゃあやり直すか。
「みみっちいわ、セコいわ、卑怯（ひきょう）だわ、でさ。で、ロッキング・オンJAPANの主流はいま硬派ロックじゃない？　そういうところからはまずダメでしょう。それで僕が唯一獲得しているオリーブ少女的な夢見る少女はもうウンコとバックドロップでダメでしょ（笑）」

（同前、114頁）

「別にこの『ウンコ喰わしてバックドロップ』とかそういうのはいいんですよ」と断って全体の雰囲気を問題にしながらも、やはりいじめ発言の反響をとりわけ気にかけていることが伝わってくる。また小山田は、他誌でもこの件を話題にしている。「音楽と人」1994年3月号より、インタビュアー田村浩一郎とのやり取りを引こう。

「〔…〕こないだやった自分のインタヴューなんか読むと『中学時代は人にウンコ食わして、バック・ドロップしてた』なんていってて、渋谷系の人とか、純朴なオリーブ少女にも『ええーっ！』みたいになっちゃっててさ。もう全然だめですよ、僕なんか（笑）」

●●ははは。でも、当然そういう露出の仕方には小山田さんの方にも責任はありますよね。

「いや、もちろん。思いっ切りあります」

●●是正していこうとか思いませんか。

「だけど、この『音楽と人』でも何でも、雑誌だったらインタヴュアー個人の視点とか論点とかがあるからさ。だから、ああいう記事は、ああいう記事で別にいいし。それに、もし僕がこう思っていったことが、載る時になったら全然違う形になってたって雑誌があったとしても仕方ないかなって思う」

（70―71頁）

責任の一端が自分にあることを認め、雑誌やインタビュアーの個別の観点を尊重したいとしながらも、「ＲＯＪ」1月号の記事内容がまったく本意ではないことが明言されている。少なくとも、「いじめ自慢」と受け取られるような記事づくりを、当時の小山田がまったく望んでいなかったことは明らかだ。

さらにここで、今回の大炎上後に公表された、小山田周辺の証言を参照することにしたい。原宿の著名なレコード店〈BIG LOVE RECORDS〉主宰の仲真史（なかまさし）は、２０２１年7月27日投稿の note「ＹＭＯは仮想敵」のなかで、「ＲＯＪ」のいじめ発言部分が掲載された当時、小山田のマネジメント担当者がいかに困惑していたかを振り返っている。

僕はここの部分に対して当時の小山田くんのマネージャーの方が「これは困る」と話していた記憶がはっきりとあります。場所は移転前のセンター街の奥にあった頃のＨＭＶの一階の真ん中のレジ横あたりでした。校正もなくまるで小山田くん自身がやったかのように、確かにあとから「直接やったわけじゃない」と補足のようにあるけれど、そんな感じじゃそもそもないから。といったような内容の話でした。その話の細かい部分は完璧な記憶じゃないですけど。しかしそんなことといちいち気にしなそうな僕に対しても（それはそれで猛省します）わざわざ話してきたくらいなので、当時だとしてもトラットリア及びポリスターのレコード会社内でも問題になっていたことが想像できます。

なお、よく知られていることだけれど、「ＲＯＪ」はアーティスト側に原稿チェックをさせない方針を取っていたことをここで確認しておこう。こうした証言から察せられるのは、小山田が学校生活時代に傍観者的に立ち会ったいじめの光景を振り返ったのに対し、編集部の思惑によって、加害者性を強く示唆するかたちで発言がまとめられたということだ。ゼロからの捏造（ねつぞう）ではないにしても、アーティスト本人にとってもレコード会社にとっても迷惑でしかない編集がなされたことがわかる。

90年代当時の小山田の反応に戻るなら、「ＲＯＪ」（伏せ字になっているがそのように推察される媒体）の取材姿勢について、「音楽と人」１９９５年12月号（インタビュー＝市川哲史）ではちょっとした愚痴が表明されている。２年ほど前のいじめ発言掲載が話題になっているのではないが、参考までに引いておこう。

「でもねでもね、『☆☆☆☆☆☆☆☆☆☆』の時の方が、もう無抵抗主義。質問が『そうだろそうだろ』って強要の雑誌だから、僕は『いや、そうですかねえ』『そうとも言いますかねえ』ってず――っと（笑）」

「『うんと言え』って感じだから、もう。それで向こうがそのまま次の質問に移ろうとすると、『ああ、今のでそうなっちゃいましたねえ』と厭味を言っちゃったりして（笑）」（46頁）

「ROJ」の取材姿勢が、他誌にはない独特の強引さを伴っていたことはたしかであるように思われる。

3　「ROJ」はなぜいじめ発言を必要としたのか

編集部としても、アーティスト側の事後の反発が予想できなかったわけでもないだろう。それでもこのような記事づくりを行ったのはなぜなのか。編集部がこの発言を大いに重視していたのは明らかだ。実際誌面では、一連の発言が圧縮され、「全裸でグルグル巻にしてウンコ食わせてバックドロップして……ごめんなさい」という見出しとなって、読者がこの禍々しいエピソードを決して見逃さないようにと配慮されていた。

また同誌同号の巻末近くに置かれた新連載記事、「場末のクロストーク」と題された山崎編集長との対談で[*1]、井上貴子編集部員はこのように述べている。

いやあ、今回の2万字インタヴューのイジメ話、ロープでぐるぐる巻きにしてオナニーさせてウンコ食わせたというくだりを読んで、私初めて小山田を見直しました。

（189頁）

それでは、当時の「ROJ」編集部、あるいはより広くロッキング・オン社にとって、「いじめっ子」だったという事実がロック・ミュージシャンの資質としてきわめて高い評価を得ていたのか。どうもそうではなさそうだ、というところに、この問題の複雑さがある。

リニューアル当時の「ROJ」のロック観の一端は、同じ号の連載記事「吉井和哉の㊙

おセンチ日記」の、編集部が本文を踏まえ付けたものと思われる掲載回のタイトルからもある程度察することができる。

セックスだ、レイプだっ、警察になぐられるっ、オナニーだっ！
イメージ膨らさなきゃ。じゃあロックだっ!! リニューアルするってことはこういうヤツを相手にするってことだな?の巻
（１８４頁）

もちろん、「ＲＯＪ」も吉井もレイプを推奨しているわけではない。本文を読むと、「レイプしたい!!」という衝動を実行に移すなら警察沙汰になるとして、以下の提案がなされている。

レイプしない。オナニーしよう。イメージして、自分の頭の中だけで誰にも見られずオナニーしよう。音楽聴きながら。何の音楽聴こう。ロックだ。ロックンロールだ。あっ、でも最近格好いいのがないっ。雑誌に何か載ってないかな、ROCKIN'ON JAPANだ。
（１８５頁）

要するに、犯罪的な衝動の非犯罪的な表現としてのロック、そのようなものとしてのロックを熱烈に紹介する媒体としての「ＲＯＪ」、ということのようなのだ。井上貴子——当時の同誌の THE YELLOW MONKEY 担当——から見て、コーネリアスの音楽がまったく「ロック的」に響かなかったのもわかるような気がする。先ほど取り上げた「場末のクロストーク」から再び引こう。

でもホント今月の表紙はどう見たって「彼氏にあげる手編みセーター」ですよ。毛糸の帽子被って〝太陽は僕の敵〟って言われても痛くも痒くもないですも〜ん。こんなんゲレンデに掃いて捨てるほどいるじゃないですか。行ったことないからよく知らないけど。（１８８—１８９頁）

そんな井上にとって、過酷ないじめの加害者側だったという小山田の回想は、少なくとも音楽それ自体から彼女が受け取った人畜無害な印象を覆すだけの意味はあった——そして、たぶんそれだけのことなのだ。

「レイプしたい!!」という男性ミュージシャンの衝動の告白が女性担当者のもとですら大目に見られていたのは、「男性的」な性的衝動の発露を芸術創造と結びつけるたぐいの想像力が当時の「ROJ」誌で力を持っていたことの証だろう。とはいえ、人畜無害であるくらいならいじめでもしていたほうがまし、という価値観をどのように受け止めるべきかはさておき――わたし自身は90年代に読んで、嫌悪感の入り混じった深い戸惑いを覚えたものだけれど――、いじめ加害へと向かう衝動が、レイプ願望と同程度に好意ある、少なくとも容認的な眼差しで受け止められていたと考えることはできそうにない。

いずれにせよ、井上の発言からは、そもそも「ROJ」が大切なリニューアル第1号で小山田圭吾を大特集するという決定自体への不満がありありと感じられる。では彼女の意見は編集部内で孤立していたのかと言えば、そういうわけでもない。小山田圭吾を新生ロック誌の顔として起用する山崎編集長の方針は、編集部の総意ではまったくなかったようなのだ。

実際、翌月号の「場末のクロストーク」で編集長の相手を務めた兵庫慎司編集部員もまた、「小山田とかって、殴ったら泣きそうじゃないですか」という基準を掲げて、前号の誌面への違和感を隠さない。山崎は兵庫に向かい、小山田起用の正しさをこのように説いている。

オシャレという武器を持って世の中に入り込み、次第に聴く者の精神をオルグしていくという高等戦術が何で分からんかなあ。（181頁）

当然ながら、このように述べているからといって、山崎は小山田圭吾の音楽を、より本格的なロック・ミュージックへの入り口にすぎないものと考えていたわけではない。それどころか彼はたぶん本気で、小山田のソロプロジェクト始動を同時代のロック・シーンの最も重大な出来事のひとつだと確信していたはずだ。例えば、『Fantasma』リリース時の山崎のコメントを見てみよう。

今まで、フリッパーズ・ギターも含めた彼のキャリアの中でさまざまなコンセプトを駆使し、求道的なロックのアプローチでは行けない地点にクイック・ワープし続けてきた小山田。（「ROJ」1997年8月号、50頁）

フリッパーズ時代とコーネリアス時代のいずれにあっても、小山田圭吾はほかのより本格的な何かへの入り口を提供するというより（いやむしろ入り口であると同時に）、「求道的なロック」には到達不能な地点からの音楽を響かせ続けてきたと山崎はみなしていた。それはつまり、彼自身を含めたリスナーに対し、小山田の音楽は——ごく少数の他のミュージシャンの音楽と並び——、既存のロックの文脈では捉えがたい謎として突きつけられていたということだ。「ロックは、どうしようもないものなのである」と題された「ROJ」1994年2月号の山崎の文章を読んでみよう。

小沢健二がなぜあれだけ濃密な言葉を延々と13分も連ねた〝天使たちのシーン〟を書かねばならなかったのか。小山田圭吾がなぜ、くそややこしいコーネリアスなんぞをやらねばならないのか。ソウルフラワー・ユニオンはなぜ、賛否両論を浴びながらバンドを変形させていかなければならないのか。わかるだろう？　僕は彼らの音を聞かなければならないのだ。（124頁）

ここからは、既存のロック・シーンの再編、ロック・ミュージックの再定義が求められているという当時の山崎の問題意識が伝わってくる。「くそややこしい」道をあえて選んだ小山田の音楽は、これまでの「求道的なロック」とは一線を画しているからこそ、ロックの現在と未来を考えるには必ず聴かれなければならないというわけだ。

そしてたぶん、このような小山田評価との関係で、山崎洋一郎はいじめ発言を必要としたのだと思う。リニューアル第1号に戻り、巻末の「場外乱闘」を読んでみよう。

汗と純情で日々精進にはげむ一本気ロッカーにはイヤミな存在でしかないコーネリ小山田であるが、これは〝イジメ〟なのだと考えると非常にわかり易い。都会人のカッペいぢめなのだ。すると関西出身で「頑張って」とか言われるとすぐに「おうっしゃあ」となってしまう僕などは小山田による屈折イジメの恰好(かっこう)のターゲットであるわけだ。だがしかし、小山田のイジメは本人も言っている通り「直接手を下さず、横で見てニヤニヤしている」という至ってヒ弱なものだ。したがって私が直接インタヴューをやり、撮影にもつきっきり、常に顔面をつき合わせる事によってそのイジメは無効となる。「撃てるもんなら撃ってみろ!」と犯人の前に仁王立ちになるモミアゲ刑(デ)

事、それが俺の役割だ。なんだ、そりゃ。（225頁）

ここからわかるのは、山崎にとってもまた、いじめ加害の経験は、ロック的な価値観と強く結びつくような何かではなさそうだ、ということだ。むしろ「イジメ」は、ほかのロック・ミュージシャンへの「イヤミ」と等置されて、ふつう「ロック的」とみなされるような何かへの脅威として捉えられているように思われる。

それではなぜ、山崎洋一郎はインタビューの見出しにまでして、小山田のいじめエピソードを強調してみせたのか。上記からもうひとつ推測できるのは、このエピソードは山崎にとって、小山田圭吾という日本の音楽史上に類例のない個性に対し、当時のロック・シーンのなかになんとか居場所を与えるために必要な道具立てだったのだろうということだ。「ROJ」は元来、佐野元春や忌野清志郎らの世代のロック・ミュージシャンの発言の場として創刊された雑誌だ。以後もおおむね、日本のロックの「硬派」な伝統に敬意を払う誌面づくりを続けてきた（いわゆる「ビジュアル系」アーティストを起用する試みは、担当の市川哲史が独立し「音楽と人」を創刊することで終わった）。そしてフリッパーズ・ギターは、こうした日本的ロックの伝統を尊重する身振りをまるで示さないふたり組だった。リニューアル第1号の「場末のクロストーク」をもう一度だけ取り上げるなら、井上貴子はそこで、フリッパーズ時代の小山田が、当時忌野清志郎が細野晴臣（はるおみ）・坂本冬美と結成したHISのロゴマークを認識せず、「この模様なに？　呪文ですか？」と尋ねてきたことを恨みつつ思い返している（188―189頁）。

そんなフリッパーズを、そして解散後のふたりを、山崎編集長は繰り返し誌面に登場させてきた。売上面でのメリットもあっただろうが、大前提に高い音楽的な評価が――そしてまた、ふたりの才能ある若者への人間的な関心が――あったことは疑いえない。既存のロックの伝統とは異質な個性を、ロック・シーン再構築に欠かせない重要なアーティストとして遇しつつも、旧来のロック愛好家たちをどのように納得させればよいのか。

ここではさしあたり、小沢健二に対するアプローチの検討は棚上げにし、小山田圭吾との関係だけに焦点を絞ることとして、改めて上記の「場外乱闘」を読んでみよう。そこで山崎は、まずは小山田を日本のロック・シーンに対する「イヤミ」が具現化したような存在として捉える。そして、小山田が学校生活の一幕を振り返るなかで口にしたいじめ発言を参照し、自分では手を下さないというその「ヒ弱」さを20代のミュージシャンとなった現在の彼の態度にそのまま当てはめる。そのうえで山崎は、自分が小山田ととことん付き合うことで、彼の「イジメは無効となる」のだと主張する。

これは要するに、小山田の創意に満ちた音楽活動が日本のロック・シーンへの単なるイヤミとしてしか機能しないで終わるという不幸を回避して、その才能がシーン全体を豊かに再活性化していけるような状況をつくってみせる、という意気込みの宣言として受け止めるべきだろう。もちろんここで山崎が想定しているシーンとは、ちょうどこの頃から「渋谷系」という言葉で括(くく)られるようになった狭い界隈(かいわい)のことではありえない。

実際山崎は2年後、コーネリアスのライブツアーの密着レポートのなかで、「渋谷村とかヒップホップ村の中で仲間とツルんで『オモロいよね』、それ、全然オモロくも何ともないんですけど」と言いつつ、小山田圭吾はあくまでも「オモロい」のではなく「面白い」のだと述べることで、彼の音楽が日本のロック・ミュージック全体の財産であることを改めて強調している（「ROJ」1996年2月号、33頁）。

山崎洋一郎によるこのような小山田圭吾の位置づけについては、さまざまな評価がありうるだろう。けれども、21世紀の小山田の音楽的到達点を知るわたしたちが今から振り返って見るなら、コーネリアスの音楽を1990年代半ばの一文化現象に押し込めることなく、単に日本の、さらには世界のロック・ミュージックの最も先進的な表現として聴く、というこの姿勢は、大筋において正しい直感に基づいていたとみなすべきではないだろうか。

ただし不幸なのは、山崎がこのようなアプローチのもとで小山田を誌面に取り上げるに際して、「小山田のロック・シーンに対するイヤミ＝いじめを自分が抑えてみせる」という構図をつくったこと、そしてそのためにインタビュー中の発言の一部をきわめて問題のあるかたちで強調する誌面をつくることで、はるか四半世紀後の破局を準備してしまったことだ。

4 「人格プロデュース」の問題性

表紙を飾り問題含みのインタビュー記事が掲載されたリニューアル第1号の翌号、1994年2月号のインタビューから、前号の反響を伝える山崎とそれに対する小山田の応答を引こう。

●ビックリしたんだけどさ。リニューアル1号でコーネリアスを表紙にしたじゃん。それで業界内の人に「どうだあ!!」って見せると「ああ、渋谷系のオシャレ系なんですね」とか言われてさ。俺としてはもうロックもロック、ロック界でも超やさぐれたヤクザ人間を表紙に持ってきちゃって大丈夫かなあってつもりだったんだけど、「あ、時流にのってますねえ」みたいな反応なんだよね。

「俺また人格プロデュースされてる！（笑）」

●で、

「でも、わかるよ。僕が例えば高校生とか中学生で、渋谷系とかいっちゃってこんな軟派そうな男が表紙んなってたらさ（笑）、俺も絶対にそう思うもん！」

●ははははは。

「女の子に『こんなものは認めない』って言うよ（笑）。『こんなコーネリアス』とか言ってさあ（笑）」

（116頁）

山崎洋一郎は、いじめっ子ぶっていても所詮は「ヒ弱」な、しかし圧倒的な才能を持ったやさぐれものというアーティスト・イメージを小山田圭吾のために用意した。それはおそらく、少なからぬリスナーや業界人がコーネリアスの音楽を流行の「オシャレ系」としかみなさないなかで、小山田をロック・シーンの最重要人物として通用させようとする苦肉の策だったのだろう。実際、先ほど検討したリニューアル第1号の「場外乱闘」では旧来のロック愛好家への配慮が感じられたけれど、この第2号での小山田との対話では、むしろ彼らの保守性への苛立ちが表明されている。

●その〔＝元フリッパーズ・ギターのふたりの〕挑発にロック・ファンが「あれは渋谷系のオシャレ系だから」という無視のし方をして自分の古臭いロックの価値観を守ってる感じが俺は嫌い。

「ああ、ああ」

●だから渋谷系も嫌いだけど「渋谷系なんか……」っつってるロック・ファンの保守的なとこはもっと嫌い！

（117頁）

編集部員を含めた偏見ある人びとをなだめすかしてコーネリアスをロック・シーン再構築の最重要アーティストとして扱い続けるという山崎の企ては、小山田がロックに限らず先鋭的なポピュラー音楽に関心を抱く誰もが一目置く存在となった現在への道筋をつけたという意味では、大きな成功を収めたと言える。とはいえ、そうした善意と卓見が背景にあったにせよ、「人格プロデュース」と揶揄されるまでに当人の意向を離れたアーティスト・イメージの操作に踏み込んだのは、かなり問題含みの振る舞いと言わざるをえないだろう。

当時、本人度外視のこうした「人格プロデュース」傾向は小沢健二にも向けられた。口にしてもいない言葉が自らの言葉であるかのように記載されたことに反発した小沢は、「ROJ」1993年10月号の山崎によるインタビュー記事のタイトルや見出しとして、同年12月号に再び登場してこの点の釈明を求めた。題して、「今月の小沢健二　やい山崎、嘘ついてんじゃねえぞ！ドン！（テーブルを叩く）」。インタビュー中で、「要するにトゥー・マッチな思い込み」があったのだと認める山崎に対し、小沢は、「俺としてはここだあ！」と各自が各自の観点を持つのはよいのだけれど、それを自分が発言したかのように演出されるのは困る、という趣旨のことを述べている（38頁）。

5　結局のところ、何が問題だったのか

それでは、小山田圭吾のいじめ発言についてはどうだろうか。彼は1994年1月号の自分のインタビュー記事の何が不満だったのか。小沢健二の不満は、インタビュー本文に

は記されていない（発言していない）内容を、カギ括弧に入れて彼の言葉であるかのように記されたことにあった。小山田の場合、インタビューの見出しにある「全裸でグルグル巻にしてウンコ食わせてバックドロップして……ごめんなさい」の内容は、本文でもたしかに語られている。では何が問題なのか。

本文と読み比べるとわかるのは、まず、別々の機会になされたのかもしれない行為が、ひと連なりの出来事であるかのように圧縮され、読者に与える印象がいっそう強烈なものになっている、ということだ。次に、本文では、「うちはいじめがほんとすごかった」と学校全体の状況が一般的に示されたあとで、凄惨な行為が主語を欠いたかたちで語られていることに気づく。それでは、校内で傍観することはあったが自分が手を下したわけではないいじめを、自分がやったかのような見出しをつくられたのに困り果てたのか。しかし本文の続きを読むなら、アイディアを提供するというかたちで積極的に関与したと明言されている。

そうすると、結局のところ、ショッキングな見出しは――小沢健二のケースとは異なり――本文の記述を深刻に歪めているとは言えないようにも思える。しかしそれならなぜ、小山田はインタビューが掲載された直後から、繰り返し内容への違和感を公にしたのか。

単純に考えられるのは、インタビュー本文自体に――編集部によるまったくの創作ではないにしても――顕著な歪曲や曖昧さが含まれていたということだろう。

実際彼は、四半世紀以上を経た2021年7月16日にツイッターで投稿した謝罪文のなかで、「過去の雑誌インタビュー」について、「発売前の原稿確認ができなかったこともあり、事実と異なる内容も多く記載されて」いると明言した。そして2か月ほどを経て「週刊文春」2021年9月23日号に掲載された、ノンフィクション作家・中原一歩（いっぽ）によるインタビューでは、どのように事実が歪められたのかをより詳細に語っている。

そこで小山田は、「『全裸にして紐で縛って、オナニーさせて、ウンコを喰わせた』のは事実？」という問いかけに「事実ではありません」と応じている。前半の自慰行為強制については、修学旅行時、数人でプロレスごっこをしているところに現れた元上級生（留年して同級生になった）がある同級生に行った行き過ぎた振る舞いを、うろたえながらも傍観していたにすぎないのだという。後半については、また別の生徒をめぐるエピソードで、実際は以下のような話らしい。[*2]

小学生の頃、何でも落ちているものを口にしてしまう同級生がいました。枯葉とか蟻んことか。その彼が下校している時に、道に落ちていた犬のウンコを食べて、ぺっと吐き出して、それをみんなで見て笑っていたという話をしたんです。

要するに、やはり「ROJ」の記事（とりわけ見出し）では、ふたつのまったく異なったエピソードが混合されていたわけだ。そして排泄物のエピソードにはなんら加害性は感じられない。自慰強制のほうは、凄惨な印象は変わらないにしても、見聞を語ったにすぎないのであれば、小山田に激しい憤りを集中させるわけにはいかないだろう。もちろん、いじめ現場における傍観者の責任という問題はあるけれど――この点についてはのちに改めて取り上げたい。

ともあれ、上記の弁明は事態を取り繕うための偽りではなく、実際にそうだと信じてよいように思われる。

理由は第一に、インタビュー直後の反応と整合性が取れているためだ。あるいはまた、すでに引いた仲真史の回想もこの点の裏付けになる。小山田圭吾は、当時は正々堂々と「いじめ自慢」をしていたのが、時代が変わったために誤魔化すことにした、ということではなく、当時から記事が読者に与える印象を心配し、困惑を表明していた。

第二に、大炎上に際し「ＲＯＪ」１９９４年１月号と並んで引き合いに出されたもう一方の雑誌、「ＱＪ」第３号（１９９５年８月）の記事内容と読み比べると、前者の内容がかなり信用できないことが実感できるからだ。「いじめ」それ自体を主題とするこちらの記事には、排泄物を食べさせたエピソードはそもそも登場しない一方、自慰強制については他者の行為であることがはっきり語られている。

6　自己イメージの不器用な模索

そうしたわけで、「ＱＪ」の記事の検討に進むことにしたいのだけれど、それに先立って、ひとつの重要な論点について確認しておくべきだろう。なるほど、「ＲＯＪ」リニューアル第１号でのいじめ発言は、編集部——より正確には、担当者である編集長・山崎洋一郎——の思惑により、誇張の域を超えて事実に反するまでに歪められたものだったらしいことはわかった。それでも、山崎はゼロからの捏造を行ったわけではなく、あくまで取材時の発言に即して一定の操作を行ったにすぎないという事実は残る。なぜ小山田は、誇張と歪曲を経ることで彼自身にとってもまったく受け入れがたいものに転じてしまうような素材を、取材者に対して進んで提供したのか。

まずは先述の「週刊文春」インタビューでの、四半世紀を経たのちの弁明を読んでみよう。ソロ活動開始にあたり、「自分についていたイメージを変えたい気持ち」から、「敢(あ)えてきわどいことや、露悪的なことを喋(しゃべ)ってしま」ったのだとそこでは述べられている。以下、「自分のイメージとは?」という問いへの応答を引こう。

当時、アイドル的というか、軽くてポップな見られ方をしていました。極めて浅はかなのですが、それをもっとアンダーグラウンドの方に、キャラクターを変えたいと思ったのです。

ここにはもちろん、真率な思いの表白を認めるべきなのだろう。とはいえこうした説明は、90年代の文化的背景に無関心な一般読者を念頭に、しかも反省と謝罪の思いが明確になるよう高度に単純化されたもののように思われる。当時の発言を見るなら、ここで振返られているようなイメージ転換への意志がすでに率直に表明されているけれど、それは単純かつひたすらに「アンダーグラウンド」を志向するものとは異なっている。

イメージ再構築の意志は、当時、「ナメられる」ことの拒絶というかたちで繰り返し口にされていた。ここでは「音楽と人」から、ヒゲを——その対策の一環として（！）——生やしていた時期の発言を引こう（インタビュー＝田村浩一郎）。

●●あと最初見てびっくりしたんだけど、ヒゲ生えてて。何で生やしたんですか。

「ちょっとナメられちゃいけないなあと思って」

●●ナメられてますかね。

「いや、僕絶対ナメられてると思いますよ。だって例えば僕がブランキー・ジェット・シティだったら、そんな『好きな食べ物？』とかって言葉投げかけられますか？いきなり机バーン！ってやりますよ。僕もやりたいんですよ——でも、やっぱ僕片付けるの面倒臭いなとか（笑）、その後何て言ったらいいのかなとか気になっちゃうから（笑）。別に全然心外じゃないんだけど（笑）。そういう憧れもあるっていうか——」

（1994年10月号、69頁）

「憧れ」にすぎないという断りからしても、イメージの完全な刷新を本気で目指していたわけではなかったとも取れる。とはいえ小山田は、同誌の翌11月号におけるhideとの対談でも同じ悩みを打ち明けている。

O（小山田）「ナメられないには……どうしたらいいんですかね（笑）。僕のナメられ遍歴っていうのは、酷いですよ」（19頁）

そして彼は、所属レコード会社ポリスターの駐車場で他社の社長に胸ぐらを摑まれたり、地方の雑誌社での取材時にトイレでその社の重役に殴りかかられたりといったエピソードを披露する。理不尽な目に遭っているのに相手の事情を理解しようとする小山田の態度に対するhideと司会の市川哲史の反応を引こう。

h（hide）「（爆笑）でもあれじゃない？　胸ぐら摑まれたりジャンパー投げられたりしてるのに、『いや、彼も可哀相なんですよ』とか『偉い人なんですよ』っていきなり思えちゃうところが……そもそもの問題点なのでは（笑）」

●●暴発出来ない体質なのね。

O「僕、そういうの出来ないんですよ……」（同前）

ナメられないためにはどうすればよいのか。小山田はhideに尋ねる。

O「（笑）その辺でアドバイスを」
h「はははは。無い無い！」
■■〔司会の能地祐子〕それがわかれば小山田君は変われるのに。
O「ちょっといろいろやってみてるんですよ、髪伸ばしてみたりとか、こないだまで髭（ひげ）生やしてみたりとか」
●●やっぱ形から入ろうとするその姿勢が駄目なんじゃないかという。
O「やっぱり（笑）」

（同前）

ともあれ、ここでも笑いに紛らせてはいるものの、これはそれなりに切実な課題だったのだろうとは思う。けれども、だからといって、当時の小山田が「軽くてポップな見られ方」をまったく排除して、「アンダーグラウンド」の世界にすっかり沈み込もうとしていたと考えることもできそうにない。

実際、先ほど引いた「音楽と人」10月号に戻るなら、「机バーン！」への「憧れ」の直後に語られるのは、「オリーブの『お洒落と思う有名人』の5位」という評価に見合った部屋に住むべく引っ越しを敢行したというエピソードだ。「ROJ」リニューアル第1号のいじめ発言掲載後、小山田が「オリーブ少女」に見放されるのを心配していたことにはすでに触れた。冗談めかしているとはいえ、こうした懸念はそれなりに深刻なものだったに違いない。

女性ファン層から過度にアイドル的に見られることへの困惑はあったにしても、「オリーブ」誌に対するアプローチ自体は、フリッパーズ・ギター時代の小山田と小沢が積極的に選んだものだった。当時、江口寿史と行った鼎談で、ふたりはこのように発言している。

小沢　なんだかんだ他の雑誌でさ、「オリーブ」とかの勘違いだとかって言うんだけど僕らが一番さぁ……。

小山田　（笑）力入れてんのオリーブだよね。

（「月刊カドカワ」１９９１年９月号、３６６頁）

ソロ活動を開始してからも、こうした雑誌の読者層をまったく切り捨てようとしていたとも思えないのは、先ほど見たとおりだ。それでも、この「オリーブ」誌に久しぶりに登場し、「オリーブ少女には、もう忘れられてるかなあ」と自問しながらコーネリアスとしてのデビューについて語った際の小山田が、そこでもやはり、ナメられないという課題を口にしていたのは注目に値する。

「ふたりでやってた頃も弱そうだったから、今度は強そうな感じにしたい」と、こちらは本当か嘘か分からないけど、一応がんばるそぶりを見せてくれたのでした。
（1993年8月18日号、71頁）

「本当か嘘か分からない」「一応がんばるそぶり」といった同誌のインタビュアーの受けた印象は、「音楽と人」の記事から読み取れるものとそれほど変わらないように思う。小山田は、この課題をそれなりに切実なものと感じつつも、全面的なイメージ転換が可能だとは信じていなかったろうし、たぶん望ましいとも思っていなかったろう。そうした曖昧な感覚に彼自身が最も明瞭な言葉を与えたものとして、以下の「月刊カドカワ」での発言を引くことができる。

ぼくなんかがすごいカッコいいなって心の底から思うような人って、きっと「バカなんじゃないの」っていうぐらいにブッちぎれてて、こんなに一生懸命になってインタビューなんか受けてないと思う（笑）。めんどくさいこと聞かれたら「わかんない」とか言って、バーンとか机を蹴っ飛ばして帰っちゃうような人ですよ（笑）。でも、そういうのをぼくが目指してもたぶん無理だっていうのはわかるし、もともとそういう人じゃないし、無理してそんなことやっても、すごく滑稽に見えると思う。だから逆に自分の足元を見ちゃう。そういう状態をどんどん突きつめていったときには、バーンと机を蹴っ飛ばしちゃう人と、地点としては離れてるけど、裏っ側ではけっこう近い位置にいるふうになれるかなって、自分ではじめたときに思ったの。

（1994年3月号、180頁）

「強そう」には見えないし、現に時に「ナメられる」こともあるこれまでの自分を、すっかり変えることはできそうにない。それでも、自己否定に走るのではなくむしろそんな自分自身を受け入れ、自分にできることに徹底して取り組むことで、ある種の「強さ」を手に入れられるのかもしれない。諧謔と韜晦を交えつつも、小山田は当時、こうした自己イメージの模索について語っていたように思う。

7 「ROJ」によるその歪曲

ぎこちなくもあれば誠実なものでもあるこうした模索のなかで彼は、時に多少とも——先述の「週刊文春」インタビューから再び引くなら——「きわどいことや、露悪的なこと」を口にすることがあった。それらすべてを「極めて浅はか」とまで呼ぶ必要はないだろうけれど、さまざまな点で配慮を欠く発言が散見するのは事実だ。

そうは言っても、「ROJ」リニューアル第1号のインタビューについては、彼は当時から不満と後悔を表明していたことを改めて確認しておこう。後悔は、彼自身が——「あの日はほんとどうかしてた」と述べているように——問題含みの素材を提供してしまったことに関わっているけれど、不満は、編集部によるその素材の誇張的歪曲に向けられていた。このインタビュー記事に刻み込まれたいじめ関連発言が、当時の小山田が模索していたイメージ再構築の試みから甚だしく逸脱したものだったのは明らかだろう。

それにもかかわらず、この歪曲的イメージは、やがて今世紀になってウェブ空間の一角で執拗に、小山田の評判を失墜させる意図で拡散されるのに先立って「ROJ」誌上で繰り返し取り上げられることで、一部音楽ファンのあいだに根を下ろしていった。

『69/96』発売を機にコーネリアス特集を組んだ1995年11月号を見てみよう。このソロ第2作のクロスレビューの一本（神谷弘一執筆）は、同作を「リアルな否定力」の表現の点で称賛しながら、このように締めくくられる。「誰かをイジメるときにどんな技を仕掛けようかワクワクしているような、前代未聞の攻撃性だ」（229頁）。

第3作『Fantasma』を特集した1997年8月号の読者投稿欄では、同作所収の小山田圭吾の最良の作品のひとつをめぐり、痛ましいまでの解釈的暴力が展開されている。アルバムの先行シングル「STAR FRUITS SURF RIDER」は、今日に至るまでコーネリアスの代表曲のひとつとされる傑作だけれど、発売当時は、2枚のCDまたはレコードを同時再生することで1曲になるという趣向でも話題になったものだ。「ROJ」編集部は、この件をめぐるふたつの読者投稿を並べて掲載した。

1本目は、「〝スターフルーツ〟〝サーフライダー〟はいぢめだっっっ。小娘がプレーヤー2つも有るかっつーの」というもの（204頁）。「ROJ」の熱心な読者が編集部のイメージ操作にいかに影響されていたかが窺える。そして2本目は、レコードプレーヤーを1台しか持っていない読者が父親にもう1台を借り、同時再生のためふたりで協力したことで、「冷めてた父との関係がちょっとあったかいものになった」と報告するもの。いじめへの言及を含まないこの投稿を、1本目と並べることで同じ文脈のもとに組み込みつつ、編集部はこれら2本について以下のように記す。

中学時代の「うんこバックドロップ」にルーツを持つ小山田独特の悪辣な「いぢめ」が、予想外の「愛」をもたらした感動的な瞬間でした。（204頁）

こうしたイメージ操作は、控えめに言っても悪ノリが過ぎる。自身のインタビューが掲載された特集号でこのような扱いを受けて、小山田圭吾がよい気持ちになったと考えるのは難しい。「STAR FRUITS SURF RIDER」という楽曲を創造し、同時再生による楽曲完成というアイディアを構想したときの小山田は、こんな突拍子もない受け止め方をされるとはまったく考えてもみなかっただろう。

小山田自身は当時このアイディアについて、「ロボットが合体してめちゃめちゃ強くなるような」イメージを抱いていたのだという（「サウンド&レコーディング・マガジン」1997年9月号、同誌公式サイトに再掲）。あるいはまた、楽曲から浮かぶ情景の一例として、同曲の信藤三雄によるミュージックビデオの愛すべきぬいぐるみアニメーション部分を見てみよう。そこでは、仲良く遊んでいたウサギとクマがひょんなことから喧嘩（けんか）になり、互いに仲間を募って集団的抗争に発展しかけたところに現れた小山田圭吾が、音楽の力で再び友情を取り戻させる次第が描かれている。

このような音楽を前にして、いったい誰が、どうして、「いぢめ」を云々しようなどという気になってしまったのか。そのためには、小山田がどんな思いで楽曲に取り組んだのかはもちろんのこと、自分自身の耳にこの真新しい音楽が何を訴えかけてくるのかにも無頓着になって、ただ数年前の誌面に刻まれたいじめっ子イメージにすべてを結びつけるという不毛なゲームに身を委ね、そこになにがしかの楽しみを感じられるのでなければならなかったろう。

山崎洋一郎と「ROJ」が、小山田圭吾がその時々に発する言葉に何の関心も持たなかったとも、彼の音楽に真摯に耳を傾けなかったとも思わない。それにすでに見たように、いじめっ子イメージはそもそも、小山田の音楽を当時のシーンのなかに位置づけるための山崎なりの努力のなかで導入されたものだった。もちろんだからといって、山崎がそのために、小山田自身のイメージ再構築の不器用でぎこちない模索に結果としてつけ込み、彼がふと漏らした不穏当な発言を誇張的に歪めてしまった事実が消えるわけではない。

そして小山田圭吾の音楽と人を理解するための妨げにしかならないこの夾雑物は、やがて「ＲＯＪ」誌面を飛び出して次世紀のウェブ空間に浸透し、彼の音楽を愛する人びとの心に消えることのない不安な影を落とすとともに、無関心層がこのミュージシャンについて抱く最初のイメージを提供することにさえなって、ついには、今日の惑星の最も貴重な音楽的冒険のひとつは突然の中断を余儀なくされてしまった。

この厄介な夾雑物が、そもそもはこれまで世の中に響いたことのない新しい音楽に居場所を与えようとする音楽ジャーナリストの情熱から生まれたものであることを思うと、痛切な皮肉というほかない。

第3章　「いじめ紀行」の枠組みを解きほぐす

1　岡崎京子と1990年代のいじめ観

「ロッキング・オン・ジャパン」（「ROJ」）1994年1月号におけるいじめ関連発言の反響は、今回の騒動で盛んに言及されたもうひとつの記事、翌95年夏の「クイック・ジャパン」（「QJ」）第3号掲載の「いじめ紀行」第1回を生むことになった。しかし「ROJ」の記事に対する反応としては、それに先立ち発表された岡崎京子の短編マンガがあったことも、1990年代の文化を記憶する人びとのあいだでは知られている。「QJ」の内容の検討に入る前に、まずはこの作品「GIRL OF THE YEAR」を取り上げることにしたい。

　岡崎の代表作のひとつ『リバーズ・エッジ』は、女性向けファッション誌「CUTiE」（宝島社）1993年3月号から1994年4月号にかけて連載された。主要人物のひとり、いじめられっ子でありつつ音楽に詳しく「オシャレでキレイな顔」をした山田一郎は、当時少なからぬ読者に、どことなく小山田圭吾を想起させたものだ。岡崎自身の思惑はわからないけれど、名前からしても造形からしても、「モデル」というほどではないとしても多少は意識するところがあったのではないだろうか。

ともあれ、この『リバーズ・エッジ』の連載末期に、「ＲＯＪ」は小山田のいじめ発言を掲載する。そしてそれから間もない時期、岡崎は「ヤングロゼ」１９９４年６月号掲載の読み切り短編「GIRL OF THE YEAR」に、山田一郎と同じ造形の人物を、今度はあからさまに小山田を想起させるかたちで登場させる。「光和学園のＩＱ３５０のアニエス番長」を自称する「大山田建三」というこの人物は、[*1]下の名前や成績優秀な生徒会長という設定からすると、小山田のみならず小沢健二も併せ、元フリッパーズ・ギターのふたりを融合させたものだと言える。けれどもすでに触れた造形面に加え、初登場時に強調される特徴は明らかに小山田を——より厳密に言えば、「ＲＯＪ」リニューアル第1号のインタビュー記事を——示唆している。大山田建三は、いじめられっ子山田一郎と同じ外見をまといつつ、過酷ないじめを指示する加害者として登場するのだ。

男子生徒を大股開きのまま逆さに磔にして延々「くそゲー」をプレイさせるというその内容は、なかなか酷烈なものには違いない。とはいえこの短編は全体としては一種のドタバタコメディであって、このような仕打ちをする大山田の人間性が掘り下げられることはない。生徒会室でいじめの光景をつまらなそうに眺めながら「たいくつだなぁ」と独白するひとコマはある。けれども、こうして一瞬垣間見られた心理的背景がその後の物語の展開のなかで活(い)かされることはなく、彼は結局、主人公の友人にフラれ続けてきた情けない男として描き出されて終わる。

岡崎京子は何を思ってこのような作品を描いたのだろうか。あるいは、わたしたちはこの作品を、今日どのように受け止めるべきなのか。ストーリー上の必然性もないのに、作中にいじめの場面を描き込んだというところに、岡崎が「ＲＯＪ」の記事から受けたインパクトの大きさを読み取ることもできる。それでも、そうした場面がコメディ調の作品に組み込まれていることから、今日小山田に対して憤る人びとのなかには、岡崎がいじめの問題を軽々しく扱っているとして不満に思う向きもあるかもしれない。「あんなにひどいいじめの告白を読んでいながら、コメディのキャラクターにすることで免責できると思っているのか」、というわけだ。

いずれにせよ、たしかに言えるのは、いじめる側を非人間的な怪物、いじめられる側を無垢(むく)な犠牲者とみなして両者を鋭く対照させるような見方は岡崎京子にはなかったということだ。『リバーズ・エッジ』の山田は、観音崎峠たちのいじめから救ってくれた主人公、若草ハルナに感謝しながらも、「ボク若草さんが思っているほどいいやつじゃないよ」と語りかけ、いつも苛烈な復讐(ふくしゅう)を想像していることを打ち明けるのだし、同性愛のカモフラージュのために付き合い始めた田島カンナには疎ましさしか感じず、「あんな女死んでしまえばいいのにな　早く　すぐ」と願う。

そんな山田が生きる「勇気」を得るための「宝物」にしているのが、学校の傍の空き地で彼が見つけた身元不明の死体だ。「平坦な戦場」（ウィリアム・ギブソン）を生き延びるために本物の死を間近に感じようとする山田一郎は、「たいくつ」な日常をやり過ごすために残酷な場面を見つめる大山田建三と、外見を共有しているだけではなく結局のところ、同じ――少なくともそう変わらない――精神的風景のなかにいるのかもしれない。

一方、『リバーズ・エッジ』におけるいじめっ子、ハルナの（元）彼氏でもある不良少年の観音崎は、山田に対し濡れ雑巾を思い切り投げつけたり紐で体を縛り付けてロッカーに閉じ込めたり暴力を振るったあと全裸にして放置したりとかなりの凶暴性を発揮するものの、家庭環境の難しさを一因とする心の弱さが強調されもする。

山田が、そして人気上昇中のモデルでありながら深く厭世的な吉川こずえが、同じ学校の生徒の死を「新しい〝死体〟」との出会いとして喜ぶ酷薄さを備え、ハルナもまた、彼らの酷薄さを共有しないまでもそうした彼らを身近に思うような感覚の持ち主であるのに対し、自分の衝動的な暴力が誰かの死を招いてしまった可能性にただ怯えることしかできない観音崎は、ある意味では最も「人間的」な登場人物にさえ見える。

『リバーズ・エッジ』の人物たちの倫理感は総じて曖昧だ。言うまでもなくこの曖昧さは作品の弱点ではなく、岡崎はまさにそれをこそ——曖昧な倫理感を抱えたどこにでもいる人びとの生の諸相をこそ——描き出そうとしている。そして、この曖昧さが曖昧さのままに保たれ、全面的に危うい方向に転じてしまわないのは、作品がいじめる側ではなくいじめられる側に共感の基盤を置いているからだと言えるだろう。

『リバーズ・エッジ』が今日、１９９０年代の文化的感受性を代表する傑作として遇されているのは、このようなバランス感覚によるところが大きい。しかしこの感覚は、しばしば「殺伐」や「露悪」といった言葉で振り返られるこの時代の文化表現全般においても、おおむね見失われることなく保たれていたように思われる。

ここではそれを、本章の主題である「いじめ」に関する当時のある雑誌の特集記事を見ることで、簡単に確認しておこう。１９９７年、「ＳＰＡ！」（扶桑社）は「台頭する『いじめられっ子カルチャー』に注目せよ！」と題した10ページにわたる特集を組む（5月28日号）。リード文によれば、この「カルチャー」の要点は、「強者vs弱者、悪vs善の図式でしか語られなかったいじめの、本当の姿」に迫るというものだ。いじめられっ子は決して無垢な犠牲者ではなく、いじめっ子は単純に強者なのではない。

けれどもこの特集では、全体のタイトルに明らかなように、冒頭にインタビューが掲載された柳美里(ゆうみり)をはじめ、登場する「語り部」たちのほぼ全員がいじめられっ子の立場から語っている。より正確に言うなら、いじめっ子/いじめられっ子双方に目配せしたうえで、基本的にはいじめられっ子の立場を重視して、問題にアプローチしている。例えば、自らのいじめられっ子としての経験に繰り返し立ち返ってきた柳は当然として、ほかのインタビューのひとり重松清にしても、「かつて〝いじめ少年〟で、一時期は逆にいじめられていたこともある」という経験に基づき、いじめられっ子の側の悪意を描いた作品で注目され、話を聞かれている。以下にふたりの発言の特徴的な箇所を引用しよう。

〔柳美里〕いじめを現象だけで捉えて、モラルで裁いても意味がないと思うんです。善悪を割り当てても、水戸黄門じゃないんだから、現実は全く解決しない。

〔重松清〕今のいじめは、〔…〕いじめられっ子=かわいそうな子/いじめっ子=ひどい子という2項対立では解釈しきれないんじゃないか。

もちろん、『リバーズ・エッジ』でハルナがそうしたように、現に深刻な行為が展開されているのであれば、ただちにやめさせなければならない。けれども、そうした即時的対処を超えたところで、いじめの過酷な帰結のように思われるもの——とりわけ「いじめ自殺」——を前にするたびに報道を過熱させ、被害者の無垢と加害者の非道を対比させることの現実的な影響については慎重に再検討すべきだろう。第4章で触れるように、それに触発された子どもたちの自殺を多発させるという明らかな結果を引き起こす一方で、繰り返される報道による一面的ないじめ観の定着が、日本の学校生活を生きやすいものにするのにどの程度役に立ったのかはわからないのだから。

『リバーズ・エッジ』であれ、「SPA!」の特集が取り上げるいじめの「新しい〝語り部〟たち」の物語であれ、一方では学校生活におけるいじめ問題の重大性という1980年代半ば以降に形成された認識を共有しつつも、他方では、そうした認識の形成に中心的な役割を果たしたいじめ報道の画一性を突き崩して、二分法のモラルでは片付けられない現実を描き出そうとしていたのだと言える。このような表現が、物議を醸すものでありながら切実に求められてもいたという事実は、21世紀においても、例えば大今良時(おおいまよしとき)のマンガ作品『聲の形』（講談社）の——オリジナル短編の雑誌掲載見合わせからリメイク短編と長編連載を経て映画化とその大ヒットに至る——成功とそれが引き起こした論争を見るなら明らかだろう。

ともあれ、画一的な二分法では収まりのつかない現実を捉えようとするこうしたさまざまな試みは、いずれも何らかのかたちで「いじめられっ子」の側に立つことでバランスを取っていることを確認しておこう。そうした配慮がなければ加害者の行為の純然たる正当化に道を開きかねないのだから、当然のことだ。

2 「いじめ紀行」企画者のいじめ観——一面性と画期性の取り違え

こうした観点からすると、この「SPA!」の特集で「新しい〝語り部〟たち」のひとりとして取材されている「QJ」編集部の村上清の発言は、異彩を放っていると言えるだろう。村上は、当初は外部の新人ライターとして同誌第3号（1995年8月）より「村上清のいじめ紀行」の連載を始め、やがて太田出版の社員となって、同誌の2代目編集長を務めたのち書籍編集部に移り現在に至る。以下、連載休止中（二度と再開されることはなかった）の1997年の時点で、この村上が他誌に何を語っていたのか、彼への取材部分の抜粋を掲げよう。

説教くさいいじめ論に「吐き気がする」と、「クイックジャパン」誌上で連載『いじめ紀行』を始めたのが村上清氏である。元いじめっ子の小山田圭吾や、元いじめられっ子の漫画家・竹熊健太郎のインタビューを試みた。〔…〕

「小山田さんのいじめ話で、こんなに喜々としていいのかというぐらい楽しんでいる自分がいた。だから、それも伝えようと思った。人はいじめでこんなにも喜々とするものなんだと……。最近考えるんですけど、いじめはなければないで気持ち悪いなぁ、と思う」

いじめを否定しつつ、楽しんでしまう自分に、彼自身とまどいを感じているようだ。しかし現実に、凝ったいじめを笑って傍観している子供が多い以上、いじめのエンターテインメント性という〝タブー〟も語られるべきではないか。

村上の発言が異色なのは、いじめっ子の側の心情に注目し、いじめが加害者やその傍観者にもたらす楽しみの感情を率直に取り上げている点ではない。それについてはこの特集中のほかの「語り部」たちであれ、岡崎京子であれ大今良時であれ存分に描き出している。
教育問題の専門家たちもまた、この点に目を塞いでいたわけではない。例えば「尾木ママ」としてお茶の間のご意見番のような存在となる以前の尾木直樹は、2000年刊行の岩波新書『子どもの危機をどう見るか』のなかで、次のように明快に述べていた。

「弱い者をいじめることは、人間として絶対許されない」などと文部省がいうような、精神主義的な圧力を加える「心の教育」によって、いじめを撲滅することはほとんど不可能です。

いじめの原因は「道徳心や規範意識等の問題ではなくて、ストレス」であり、しかも今日の学校こそが子どもたちの主要なストレス発生因となっている。だからこそ子どもたちはいじめ加害へと惹き寄せられる。いじめは、「面白い」からだ。

いじめがなくならないのは、いじめが人間の本能であるからでも、学校や家庭における道徳教育や「心の教育」に問題があるからでもありません。誤解を恐れずに端的に言いますと、「面白い」からです。

こうして尾木は、自ら行った「なぜいじめは面白いのか」と題する調査の結果を紹介しつつ、以下のように結論づける。

これだけ「面白」くては、「人として許されない」などと道徳を振りかざし、いかに教師や親が力んでも、効果は期待できそうにありません。言うまでもなく、この「面白さ」は決して人間的ではありません。しかし、そういうネガティブな感性を有しているのも「人間」なのです。これらを丸ごと表出する過程にも親や教師が丁寧にかかわることによって、子どもは「人間味豊かな人」として確かに成長するのです。

いじめの「面白さ」や「楽しさ」を認めることは、「誤解を恐れずに」といった但し書きが必要な程度には問題含みであるにしても、この問題に取り組む少なからぬ人びとにとって、真摯に現実に向き合うには欠かせないステップとみなされてきたように思う。その意味で、村上清への取材記事で言われているのとは異なって、「いじめのエンターテインメント性」はなんら「タブー」ではない。物語をつむぐ人びとはこの人間的真実を作中で取り上げつつ、子どもたちの織りなす人間ドラマを繊細に描き出そうと努めてきたのだし、教育問題を語る人びとはこの同じ真実を直視しつつ、被害者はもちろん加害者も含めた子どもたちの人間的成長の道筋を展望してきた（尾木は前掲書に、「加害者救済こそいじめ克服の近道」と記している）。

村上の認識の特異性は、いじめの実像を捉えようとする誰もが注目しながらもあくまで全体の構図の一側面として捉えてきた加害の「楽しさ」を、誰も直視する勇気を持たずにきた危険なタブーであるかのように思い込み、ただそれだけを強調することが既存のいじめ観を刷新する画期的な意義を持つものと信じた点にあると言えるかもしれない。

小山田圭吾は、このような認識を持つ駆け出しライターの発案になる連載企画の第1回ゲストとして、「いじめっ子」代表のような位置づけで取材を受けることになった。

3　「クイック・ジャパン」第3号――取材者と被取材者の破局的な同床異夢

「QJ」第3号に掲載された「村上清のいじめ紀行」第1回は、実に厄介で両義的な記事だと言える。ライターの村上が用意した企画の枠組みは大いに問題含みであり、記事の語り口も決して愉快なものではない。そして取材を受けた小山田の言葉自体も、少なからぬ良識ある読者を呆れさせ、憤らせるのも無理はないと思える部分を含んでいる。

けれどもその一方、小山田がそこで語る学校生活のエピソードの多くは、人間的交流の記録として非常に興味深く、時に味わい深いものとして読むこともできる。人と音楽を切り離さない観点から読んでみた場合にも、そこには小山田の人間性の積極面ばかりでなく、芸術家としての彼の創作の秘密に通じるような何かさえ、明かされているようにも思われるのだ。

こうした両義的な印象は、村上の企画意図と小山田の発言内容が必ずしも調和していないこと、むしろかなりの程度にズレが生じていることによって促されていると言える。村上の側では、「ROJ」の記事を真に受けて、凄惨ないじめ加害を臆面もなく語ったミュージシャンとしての小山田に注目し、取材を申し込んでいる。しかしすでに見たように、「ROJ」でのいじめ発言のうち、排泄物を食べさせたというエピソードは事実に反しているし、自慰強制は彼自身の行為ではない。つまり小山田は、彼自身が手を染めた過酷で犯罪的な加害のエピソードなど持ち合わせてはいなかったわけだ。

実際彼はこの記事のなかで、実のところそれほどいじめの話はしていない。たしかにいじめに関する若干のエピソードが含まれるとはいえ、全体としてはより広く、学校時代のさまざまな思い出が語られている。もちろん、すべてをいじめの文脈に関連付けようとする村上の編集意図によって不愉快な露悪の印象が強められているのは事実であるし、小山田自身がこの印象にまったく責任を持たないとみなすこともできないだろう。それでも、冷静に読むなら、小山田の語りから浮かび上がるのは繰り返される凄惨ないじめの光景というよりも、障害のある児童・生徒たちとの、まったく優等生的ではなく時に問題含みの、しかしだからこそ上辺だけのものではないようにも感じられる交流の光景だ。

つまりこの記事は、村上の構成意図にもかかわらず、酷烈ないじめ加害の露悪的な証言の記録には不似合いな多数の要素を含んでおり、実は全体としてはいじめをめぐる記事にはなっていない。とはいえ、小山田自身が加担したいじめについても多少は語られているのだから、まずはそれがどのようなものであったのかを見ておかなければならない。この点について、すでに言及した「週刊文春」２０２１年9月23日号のインタビューでは以下のように語られている。

ロッカーに同級生を閉じ込めて蹴飛ばしたこと。それと小学生の頃、知的障がいを持った同級生に対して、段ボールの中に入れて、黒板消しの粉を振りかけてしまったことがあったのは事実です。相手の方には、本当に申し訳ないことをしたという思いです。

これはいずれも「ＱＪ」の記事で語られる内容であって、それぞれの行為の「相手の方」は異なっている。前者は中学校時代のエピソードで、「ＱＪ」では「村田」という仮名のもとに登場する生徒が対象だった。後者の小学校時代のエピソードは、同誌における「沢田」（仮名）に関係している。「〝いじめられっ子〟は、二人いた」（55頁）という見出しのもと、村上の記事中で小山田のいじめエピソードの中心に置かれているのがこのふたりだ。

どちらの行為にせよ、まったく褒められたものではない。けれどもそれ自体としては——つまりより陰惨で執拗な加害の一環をなしているのでなければ——、およそ40年の時を超えて国際的スキャンダルの素材となるほどの悪辣非道な行為とみなすのは難しいのではないだろうか。

ふたりそれぞれをめぐる記述全体を見てみよう。まずわかるのは、「ＲＯＪ」１９９４

年1月号で語られた自慰強制の対象が「村田」だったことだ。第2章第5節でも簡単に触れたけれど、小山田は2021年9月の「週刊文春」のインタビューで「ROJ」のいじめ発言のこの部分について、加害者は「留年して同じクラスだった上級生」であり、「行き過ぎた行為」と思いつつも「怖くて止めることができず、傍観者になってしまった」と振り返っている。実のところ、同じ内容は1995年の「QJ」ですでに語られており、四半世紀を経て「週刊文春」誌上でなされた告白は、この点についてなんら新しい事実を提供してはいない。

「QJ」では、中3の修学旅行中、小柄なために技をかけやすい「村田」にプロレス技をかけて遊んでいたところに現れた先輩の振る舞い（洗濯紐で彼を縛り、全裸にし、自慰を強制する）を前にした際の戸惑いが、繰り返し口にされている。「その人はなんか勘違いしちゃってるみたいでさ、限度知らないタイプって言うかさ」「そこまで行っちゃうと僕とか引いちゃうっていうか」「かなりキツかったんだけど、それは」等々（63―64頁）。

ここで確認しておくなら、もちろん、傍観者の責任を強調する通説には一定の根拠がある。小山田が、「週刊文春」（9月16日発売）に合わせて発表した「お詫びと経緯説明」（9月17日ウェブ掲載）において、「暴力行為を目にした現場で傍観者になってしまったことも加担と言えます」と反省するのはもっともなことだ。それでもやはり、呆然と怯えながら傍観した者の消極的な関与を、直接の加害者やアイディア提供者の積極的な関与と同程度にみなすことはできないだろう。

「QJ」のこのくだりの問題は、ここで語られた内容自体にあるというよりも、このようにして語ってしまったという事実にあると言える。やはり上述の「お詫びと経緯説明」で小山田自身が振り返っているように、「目撃談ということもあり、それもまた他人事のように捉え、傍観者という自分の卑怯な立場を含め冗談交じりに語ってしまい」、こうした無神経な語りによって被害元生徒やその家族に二次加害を与えることになったのは、決して小さな過ちではない。

こうした過ちを指摘したうえで、ここで認めておかなければならないのは、実のところ、この件に関する傍観者性の強調は、小山田が「QJ」の取材を受けることに決めた主な動機だったように思われる、という事実だ。すでに第2章で見たように、彼は「ROJ」1994年1月号に掲載されたいじめ発言に深い後悔と不満を抱いていた。それを知るなら、その後の彼がよりにもよっていじめそれ自体を主題とする他誌の取材に応じたのは、ほとんど異様なことにも思える。しかしどうやら、小山田はまさに「ROJ」での失態を取り繕うために「いじめ紀行」に登場したようなのだ。「お詫びと経緯説明」にはこうある。

『ROCKIN'ON JAPAN』で誤って拡がってしまった情報を修正したいという気持ちも少なからずあったと記憶しています。

また傍証として、第2章第2節で言及した仲真史のnoteを再び取り上げよう。

言い方は凄く間違えていますが「クイック・ジャパン」のインタビューは「ジャパン」(「ROJ」)のリベンジ、みたいな意図を当時感じた記憶が蘇りました。「ジャパン」と「クイック・ジャパン」を読んでみれば『別人が暴走して行っていた』『僕はそこまでいくとひいていた』といったような部分が「クイック・ジャパン」では加えられているのがわかると思います。

(「YMOは仮想敵」2021年7月27日)

ここではさらに、また別の点に関する修正の事実を指摘しておきたい。「QJ」の記事では、「全裸でグルグル巻にしてウンコ食わせてバックドロップして……」というあの

「ROJ」記事の見出しが不正確に引用されているけれど、そこからは「ウンコ」のくだりが抹消されているのだ。

「全裸にしてグルグル巻きにしてオナニーさせて、バックドロップしたり」とか発言してる。それも結構笑いながら。（53頁）

凄絶な加害を悪びれずに語る元いじめっ子としての小山田に焦点を当てるという企画意図からして、村上清と「QJ」編集部の側では「ウンコ食わせて」の部分をぜひとも使いたかったに違いない。その箇所が消えているのは、小山田側の要請に従ったのだと考えるのが自然だろう。おそらく小山田は取材を受ける際、排泄物のくだりは、何でも口にしてしまう小学校時代の同級生が犬の糞を食べてしまった話にすぎないと説明して（第2章第5節参照）、引用を認めなかったのだろう。そして「ROJ」見出しのもうひとつの要素である自慰強制については、すでに取り上げたように、先輩の逸脱的行為を引きながら傍観していたという事実を語ることで修正を図ったわけだ。

けれども、「ROJ」のいじめ発言を修正しようという小山田の目論見（もくろみ）は、少なくとも大きな成功を収めることはなかった。当然だろう。排泄物のエピソードが姿を消し、自慰強制のエピソードが語り直されているとしても、「QJ」の記事は「ROJ」の記事の問題性を明示的に指摘しているわけではないし、それどころか基本的に、後者に強い印象を受けたライターによりその一種の拡大増強版として企画されたものだ。そうしたなかで若干の——加害の程度を判断するためには重大な——事実関係を修正したとしても、大筋では、「いじめっ子」としてのキャラクターがさらに強化されるのは避けようがない。

先述の note で仲が、「もちろん結果リベンジなんかになってないですし、〔…〕結果は大失敗でさらに反省すべき行為だった」と判断しているのももっともなことだ。実際、いじめをめぐる誤情報を修正するためにいじめっ子代表として新たな取材を受けるという選択については、小山田圭吾はどうかしていたのではないかと言いたくもなる。

とはいえ、いじめのような取扱注意の主題について新たに語る機会などそう見つかるものではなかったろうことは大いに察せられるのだから、「ROJ」でまったく不本意な誤情報が広まってしまったのを気に病んでいたときに「QJ」から新たな提案を受けて、多少とも躊躇(ちゅうちょ)しつつも取材に応じることにしたのは、追い詰められた者の心情として理解できなくはない。第三者として見るなら、「QJ」の取材を受けるという選択は間違っていたと言うべきだろう。けれども、多少のいじめ加害に加わったことはあったということを改めて記事化されてでも修正したいほどに、「ＲＯＪ」リニューアル第1号に刻み込まれた歪曲は、現在の小山田にとってはもちろん、当時の彼にとっても、耐えがたく受け入れがたいものに感じられていたのだと思う。

21世紀のウェブ空間で執拗に蒸し返され、今回の国際的スキャンダルにつながったのがあくまでも「ＲＯＪ」に記載された排泄物と自慰強制のエピソードであり、「ＱＪ」の記事は補助的に参照されていたにすぎないことを思えば、どんなことをしてもこの2点は修正したいという当時の小山田の焦燥の背後にある倫理観は、ごくまっとうなものだと言える。

もちろん、繰り返し確認するなら、「ＲＯＪ」で広まった誤情報だけは修正したいと願う小山田と、まさにその「ＲＯＪ」の記事の延長線上に「いじめっ子」の悪びれない語りを期待する村上との共同作業は、大筋では破局的な同床異夢に終わるほかなかった。大筋では、というのはつまり、「ＱＪ」の記事だけを——「ＲＯＪ」の記憶から自由に——素直に読むなら、傍観的に立ち会ったもの以外の加害は極度に凄惨なものではないし、さまざまな同級生との興味深い交流が語られているので、同時代的に読んで必ずしも悪い印象を抱かなかった読者、嫌悪と共感の半ばする印象を抱いた読者も確実に存在するからだ。

4 「K」との日々、再び

ここで、この「いじめ紀行」で「いじめられっ子」として振り返られるふたりのうちのもうひとり、「沢田君」（仮名）に目を向けることにしよう。彼に関する記述は、2段組で20ページ、つまり40段からなる記事本文中、ほぼ19段を占めている。すでに触れた「村田」をめぐる記述はおおよそ7段ほどにとどまる（残りはほかの同級生の話やライターの村上による企画趣旨の説明など）。取材現場で小山田が最も言葉を尽くして語ったのがこの「沢田」の話だったことは想像に難くない。そしてそこで語られる彼と小山田の交流は、全体としてはまったく、いじめっ子といじめられっ子の関係とは思えないのだ。

「QJ」の記事を一読するならすぐに、この「沢田」が第1章第4節で取り上げた「K」にほかならないことがわかる。フリッパーズ時代の「月刊カドカワ」１９９１年9月号で、小山田は小学2年生の頃に転校してきた知的障害のある生徒について、「Kとは小学校のときはわりと距離を置いて付き合ってたんだけど、高校に入ってから意外に密接な関係が出てくる」こと、実際高校では席が隣になり、「クラスにいるときは、Kとしか話さなかった」ほどに身近な存在となったことなどを語っていた。

１９９１年の「月刊カドカワ」で６００字ほどのなかに詰め込まれた高校時代のエピソードは、ほとんどそのまま、多くはより詳細に、１９９５年の「ＱＪ」でも取り上げられている。前者に不在で後者で強調されているのは、「沢田」を「いじめられっ子」とみなす観点だ。すでに引いたように、村上は「〝いじめられっ子〟は、二人いた」という見出しを付け、そのひとりとして「沢田」を登場させている。実のところ、語られている内容からすると、彼の学校生活は過酷で執拗な加害を耐え忍ぶようなものではなかったように――つまり「いじめられっ子」という規定はそれほど適切ではないように――思われるのだけれど、ともあれ、まずは記事を見てみよう。

「月刊カドカワ」では転校してきた「Ｋ」について、「強力なインパクトのあるヤツだった。ぼくだけじゃなく、みんなにインパクトを与えたと思う」と簡単に触れられ、具体的なエピソードとしては「体がでかくて、小学校のときは突然牛乳ビンで人を殴ったりしてたんだけど、中学になるとそういうことはしなくなった」と、やはり手短な言及があるにとどまる。「ＱＪ」を読むと、この「強力なインパクト」が、言語障害や学習障害によるコミュニケーションの困難、排泄物を漏らしがちだったこと、「月刊カドカワ」にもある牛乳瓶のエピソードに窺える「凶暴性」、といった要因に由来していたことがわかる。そんな「インパクト」のある生徒の登場を受けて、小山田や周囲の生徒たちはどのように対応したのか。まずは小山田の「お詫びと経緯説明」を引こう。

『QUICK JAPAN(1995年8月号)』の記事では、知的障がいを持つ生徒についての話が何度か出てきます。報道やSNS等では、私がその生徒に対し、「障がいがあることを理由に陰惨な暴力行為を長年に渡って続けた」ということになっていますが、そのような事実はありません。

しかし、誌面にも記述がある通り、小学生の頃、転校生としてやってきた彼に対し、子どもの頃の自分やクラスメイトは、彼に障がいがあるということすら理解できておらず、それ故に遠慮のない好奇心をぶつけていたと思います。

今にして思えば、小学生時代に自分たちが行ってしまった、ダンボール箱の中で黒板消しの粉をかけるなどの行為は、日常の遊びという範疇(はんちゅう)を超えて、いじめ加害になっていたと認識しています。

ここではふたつのことが言われている。第一に、「K」＝「沢田」が「陰惨な暴力行為」を長期にわたり受けていたなどという事実はないこと。第二に、それにもかかわらず、小学校時代の自分や周囲の生徒の彼に対する振る舞いには、「遠慮のない好奇心」ゆえの行き過ぎがあったこと。これはどちらも、「QJ」の記事を読めばわかることだ。ただし「QJ」では、反省の気配は乏しい。段ボール箱のエピソードの一部を引用してみよう。小学5年生の頃に、「沢田」と小山田は同じ「太鼓クラブ」で活動する。部室として与えられた狭い教室にメンバー5人で過ごすなか、「沢田」は「かなり実験の対象に」なってしまったのだという。

「段ボール箱とかがあって、そん中に沢田を入れて、全部グルグルにガムテープで縛って、空気穴みたいなの開けて（笑）、『おい、沢田、大丈夫か？』とか言うと、『ダイジョブ…』とか言ってんの（笑）。そこに黒板消しとかで、『毒ガス攻撃だ！』ってパタパタってやって、しばらく放っといたりして〔…〕」
「本人は楽しんではいないと思うんだけど、でも、そんなに嫌がってなかったんだけど。ゴロゴロ転がしたりしたら、『ヤメロヨー』とか言ったけど」（57頁）

こうした行為は、たしかに「いじめ」とみなすこともできるかもしれないけれど、これ自体としては極端に深刻なものとはみなしがたい。もちろん、この程度の行為から発展して事態が深刻化していくことはありうる。しかし「沢田」のケースでは、そのようなことはなかったのだろう。少なくとも言えるのは、高校で再び同じクラスになった小山田が彼とより深い関係をつくるにあたって、小学校時代のこうしたエピソードが特に障害になったようには思えないということだ。「QJ」の記事での小山田の語りに反省の気配が乏しいことの理由の一部は、その後の交流の豊かさが、鮮やかな記憶として残っていたためとも考えられる。上記の段ボール箱のエピソードに続く箇所を引用してみよう。

「肉体的にいじめてたっていうのは、小学生ぐらいで、もう中高ぐらいになると、いじめはしないんだけど……どっちかって言うと仲良かったたっていう感じで、いじめっていうよりも、僕は沢田のファンになっちゃってたから。でも、だからもう、とにかく凄いんです、こいつのやることは。すっごい、バカなんだけど……勉強とかやっぱ全然できないんです、数学とかは。でも国語のテストとかになると、漢字だけはめち

ゃくちゃ知ってて、スッゲェ難しい字とかを、絶対読めないような漢字とか使って文章とか書くのね（笑）」[*2]（57頁）

このくだりで注目に値するのは、小山田が繰り返す逡巡(しゅんじゅん)だ。「どっちかって言うと仲良かった」「いじめっていうよりも、〔…〕ファンになっちゃってた」といった発言の曖昧さは、この記事が「いじめ紀行」第1回であり、自分が「いじめっ子」として取材を受けているという事実と、「沢田」との関係がまったく「いじめっ子／いじめられっ子」としてのものではなかったという学校生活の記憶のあいだに折り合いをつけようとして生まれている。別の機会であれば、小山田は「いじめ」の話題などにはまったく触れずに彼について語ることができたはずだし、実際「月刊カドカワ」ではそうしていた。ともあれ、「沢田」との交流をめぐる言葉を、もう少し記事中から拾ってみよう。まずは高校での接近について。

「中学時代はねぇ、僕、ちょっとクラス離れちゃってて、あんまり……高校でまた、一緒になっちゃって、高校は、出席番号が隣だったから、ずっと席が隣だったのね、それでまたクラスに僕、全然友達いなくてさ（笑）」

――お互いアウトサイダーなんだ（笑）。

「そう、あらゆる意味で（笑）。二、三人ぐらいしか仲いい奴とかいなくて、席隣りだからさ、結構また、仲良くなっちゃって……仲良くって言ったらアレなんだけど（笑）、俺、ファンだからさ、色々聞いたりとかするようになったんだけど」（58頁）

すでに「月刊カドカワ」にも現れていた箱ティッシュのエピソードについては、より詳細に語られている。

「沢田はね、あと、何だろう……〝沢田、ちょっといい話〟は結構あるんですけど……超鼻詰まってんですよ。小学校の時は垂れ放題で、中学の時も垂れ放題で、高校の時からポケットティッシュを持ち歩くようになって。進化して、鼻ふいたりするようになって（笑）、『おっ、こいつ、何かちょっとエチケットも気にし出したな』って僕はちょっと喜んでたんだけど、ポケットティッシュってすぐなくなっちゃうから、五・六時間目とかになると垂れ放題だけどね。で、それを何か僕は、隣りの席でいつも気になってて。で、購買部で箱のティッシュが売っていて、僕は箱のティッシュを沢田にプレゼントしたという（笑）。ちょっといい話でしょ？　しかも、ちゃんとビニールひもを箱に付けて、首に掛けられるようにして、『首に掛けとけ』って言って、箱に沢田って書いておきましたよ（笑）。それ以来沢田はティッシュを首に掛けて、いつも鼻かむようになったという」

（59―60頁）

なおここで、これまで言及する機会がなかった事実を記すことにしよう。この「いじめ紀行」第1回は当初、「いじめっ子」と「いじめられっ子」の対談企画として構想されたものの、対談相手と見込んだ全員に断られ、小山田へのインタビューのみに基づく企画に変更されたのだった。当初の企画意図は、それ自体としてはどうかしているとしか言いようがない。けれども小山田の側では、企画の枠組みとは無関係に、単に高校時代に仲がよかった「沢田」と再会したい気持ちがあったようだ。

言うまでもなく、小山田の再会の思いが純粋なものであったとしても、「沢田」およびその家族には「いじめられっ子」として雑誌に出てほしいというかたちで依頼が行くのだから、よい印象を与えないのは当たり前だ。ただし「沢田」は――田園調布の邸宅に彼およびその母を訪ねた村上によると――、高校卒業後は「家族とも『うん』『そう』程度の会話しかしない」ような状態にあったことから、会話を交わすのは難しいという家族の判断があったことも考えられる。彼の母は村上に、次のように語ったのだという。

「卒業してから、ひどくなったんですよ。家の中で知ってる人にばかり囲まれてるから。小山田君とは、仲良くやってたと思ってましたけど」（67頁）

「仲良くやってた」ことは小山田の語りからも明らかで、突然現れたライターに、小山田圭吾という「いじめっ子」に我が子がいじめられていたと決めつけられた「沢田」の母が戸惑うのも無理はない。村上の企画に乗ることで、元クラスメートの家族にこのような戸惑いを生じさせることへの想像力を欠いていたのだとしたら、当時の小山田もどうかしていたのだろうと言わざるをえない。

しかしここで注目したいのはむしろ、母の言葉の前半部分だ。「沢田」の状態が卒業後に悪化したのは、小山田のような級友との交流がなくなったためだということが証言されている。今回の大炎上後、いじめ被害者がその後の人生のなかでも抱え続ける苦しみを思え、といった非難が盛んになされた。それが小山田と「沢田」の関係にまったく当てはまらないことは明らかだろう。
ともあれ小山田は、「沢田」の現状を聞いて「重いわ。ショック」と反応し、改めて彼との交流を振り返る。

「なんかやっぱ、小学校中学校の頃は『コイツはおかしい』っていう認識しかなくて。で、だから色々試したりしてたけどね。高校くらいになると『なんでコイツはこうなんだ?』って、考える方に変っちゃったからさ。だから、ストレートな聞き方とかそんなしなかったけどさ、『オマエ、バカの世界って、どんな感じなの?』みたいなことが気になったから。なんかそういうことを色々と知りたかった感じで」（69頁）

「あの頃『レインマン』なんかなかったけどさ、でも『もしかしたら、コイツは天才かもしんない』とか思うようなこともやるしさ。結構カッコいいんですよ、見方によっては」

――〝演技だった〟っていう噂も、流れておかしくない……。

「『ああ〜、疲れた』とか言ってね（笑）。『やっと帰ったわ』とか言って、シャキーンとかして（笑）。そうかもしれないって思わせる何かを持ってたしね」（70頁）

「バカの世界」といった言葉遣いは配慮に欠けるにしても、ここからは小山田にとって、「沢田」との出会いが学校生活の貴重な出来事のひとつだったことが感じられる。自分とは異質に見える存在と同じ場を共有しているという事実に、学校時代の小山田は好奇心をもって向き合ってきた。幼い頃には、無邪気な好奇心が攻撃的な表現を取ることもあったにしても、高校の頃にはもう少し落ち着いた、一定の敬意を含んだ関心をもって、「沢田」の内的世界を知りたいと望んでいたように思われる。だからこそ彼は再会を望んだのだ。

「沢田とはちゃんと話したいな、もう一回。でも結局一緒のような気もするんだけどね。『結局のところどうよ？』ってとこまでは聞いてないから。聞いても答えは出ないだろうし。『実はさ……』なんて言われても困っちゃうしさ（笑）。でも、いっつも僕はその答えを期待してたの。『実はさあ……』って言ってくれるのを期待してたんですよね、沢田に関してはね、特に」（71頁）

小山田と「沢田」の交流は、音楽などの趣味を共有する仲間とのものとは異なっていた。「QJ」の記事でも、「休みの日とか一緒に遊んだりとか、そういうことは絶対なかった」「休み時間とかも、一緒に遊んだりっていうのは、絶対なかった」と述べられている（60頁）。

それでも、これまでの引用からは、雑誌発売から四半世紀を経た騒動後の「お詫びと経緯説明」に記された今日の小山田の言葉が、まったく事後の取り繕いを意図したものではないことがわかるはずだ。彼はそこで、小学校時代の振る舞いを反省し、雑誌での「軽率」な語り口を後悔しながらも、「高校生時代の実体験としての彼との日常を思い返すと、友人という言い方以外は難しいというのが正直な気持ち」だと明言している。

このことは、「K」＝「沢田」との交流が１９９１年の「月刊カドカワ」を通してのみ読まれていたのであれば、わざわざ今日の小山田によって強調される必要はなかったに違いない。ところが、同じ大切な思い出を「いじめ紀行」などという枠組みの記事で語り直したために無用の混乱が生じ、21世紀になって進んだ歪曲的な小山田像の形成を大いに助けることになった。

実際には1995年の「QJ」の記事は、「いじめっ子」が悪びれずに語る、という村上の用意した枠組みに囚われないように読者の側が努力するなら、「ROJ」1994年1月号のいじめ発言の延長線上にではなく、この「月刊カドカワ」の記事の延長線上に読まれるべき内容を備えている。小山田の学校時代の興味深いエピソードが、このような禍々しい舞台で語られてしまったことを心から残念に思う。

5　和光学園というコンテクスト

なお、小山田と障害のある児童・生徒との関わりについては、イラストレーター・ライターの床山すずりのふたつの文章をぜひとも読まれたい。床山は、今回の騒動のさなかに発表されたnote「障害者きょうだいから見る小山田圭吾」（2021年7月24日、以下「正」）と「続・障害者きょうだいから見る小山田圭吾」（2021年7月31日、以下「続」）において、「自閉症で知的障害を併せ持つ3歳離れた兄」（「正」）のいる自分が、90年代の高校時代に「ROJ」と「QJ」の問題の記事を読んでいながら、なぜ小山田圭吾の音楽を聴き続けることができたのかを考察している。学校時代の小山田の障害のある児童・生徒との関わり方のうちに、床山は危うさを感じる一方で――「『関心→いじめ』につながることがある」――、そこから大きな励ましを受け取ったのだという（「続」）。

小山田が「異質」な人に対して無邪気に関心を持ったり、垣根なく接したりしていたさまは高校生の私には驚異的に映ったし、こういう人がいることは救いでもあったのだと思う。

関連して付け加えるなら、小山田の学校生活の現実に即した理解には、1970年代から80年代にかけての和光学園というコンテクストの知識が欠かせない。1973年、政府・文部省（当時）が養護学校義務化の方針を打ち出すと、急進的な障害者解放運動（青い芝の会や全国障害者解放運動連絡会議）はそれに反対し、「統合教育」を掲げて、すべての子どもの普通学級就学を求めた。和光はといえば、養護学校就学の一般的な流れに反対しない一方、以前からの試みを発展させるかたちで、健常者との「共通項」を持つできるだけ多くの障害者を受け入れ、同じ学級でともに学ばせるという「共同教育」[*3]を1976年に発足させる。

これは小山田が和光小学校2年生の年にあたり、「沢田」が転校してきたのはこのためだろう。小山田の証言からもうかがえるように、「共通項のある障害児」といっても、当初は相対的に見てかなりの困難を抱えた児童・生徒であっても受け入れるべく努力していたようだ。

しかし和光学園は、1980年代から今日にかけ、共生を目指す方向性は維持しながらも、徐々に受け入れ基準を狭めてきた。「共同教育」路線の提唱者であり、1968年から1991年まで校長を務めた丸木政臣も、「精神発達遅滞とか、微細脳障害、自閉症、情緒障害、学習障害という、いってみれば知的発達困難というものが強くでている子どもは、なかなか和光では引き受けられなくなったという矛盾」について語っている(『学校が変わる日—和光学園からの提言』民衆社、1992年)。

小山田圭吾は、和光学園が1970年代の野心的な教育風土のなか、「障害児を健常児と一緒にというような冒険」(同前)を最も果敢に推し進めていた時期に学校生活を送った。まったく優等生的ではなかった小山田の障害児との関わり方に、いかなる問題もなかったと言うことはできないだろう。それでも、彼が日本の教育史上まれに見る取り組みのさなかにあったこの学園での日々から、多くのものを受け取った生徒のひとりだったことはたしかであるように思う。

6 「鬼畜系」はそれほど多くを説明しない

本書ではこれまで、「ROJ」と「QJ」、とりわけ後者における小山田の発言の背景に、今日「悪趣味系」や「鬼畜系」として振り返られる当時のサブカルチャーの潮流を見て取るような傾向とは距離を取ってきた。

たしかに、1990年代の小山田はサブカルチャーの王道というよりも、メインストリームから外れた、その意味で「悪趣味」な領域への関心を示していたし、彼をこうした傾向の代表格のひとりだったとみなすことさえ可能だ。といっても、彼が進んでその宣伝役を買って出たのは、当時「モンド・カルチャー」と呼ばれた潮流である。小山田は1994年夏、つまり問題の2誌での発言のあいだの時期に、NHK教育テレビの若者向けトーク特番『夏・ソリトン』の「ファッション考現学　モンド宣言」の回に女優の洞口依子とともに出演（8月13日）、またその数年後には、佐野元春事務所の雑誌「This」1997年3月号の特集「世紀末モンド・ショッピング」のために、ミュージシャン仲間の砂原良徳、中原昌也、そしてグラフィックデザイナーの常盤響とともにロサンゼルスに渡っている。

「モンド mondo」とは「世界」を意味するイタリア語だが、グァルティエロ・ヤコペッティ監督の1962年作品『世界残酷物語』の原題「モンド・カーネ Mondo Cane」（文字通りには「犬の世界」を意味するが、「犬 cane」は形容詞的用法において「残酷な、忌まわしい、いかがわしい」などの意味を持つ）に由来して、英語圏で独特の意味を与えられた。世界の奇習を「やらせ」を交えて描いたこの疑似ドキュメンタリー映画や後続の諸作品に通じる悪趣味さ、残酷さ、珍奇さといった要素を含んだ映画が、「モンド映画」と呼ばれるようになったのだ。さらに日本では、「モンド」というこの形容を映画以外にも転用することで、ジャンル横断的な文化現象が生み出されていった。

1995年2月、『モンド・ミュージック』と題する書籍が刊行される。米国の音楽誌「リ／サーチ」の特集「すごく変な音楽 incredibly strange music」（1993年）のコンセプトに影響を受けつつも、「モンド・ミュージック」という呼称自体は同書の企画編集を担当した四人組、「ガジェット4」の発案によるものだ。そのひとりであるライターの小柳帝（みかど）は、同書収録の座談会で、「モンド」的なものの広がりを以下のように説いている。

「モンドって、元々は世界のいろんな奇習を扱った『世界残酷物語』に代表されるような映画をモンド・ムーヴィーと呼ぶようになったことから、ちょっとストレインジでエキゾチックなものを差す総称になった」（「ガジェット4の『エンドレス・トーキング』」）。

同年秋には、「ＳＰＡ！」誌が「モンド・カルチャー」特集を組み、映画と音楽にとどまらないブームの広がりを紹介する（１９９５年9月20日号）。特集冒頭では、「史上最低の映画監督」エド・ウッド（当時、ティム・バートン監督がその半生を映画化したことで改めて脚光を浴びていた）に典型的な「モンド」的なものの主たる特徴として「共通した脱力感やトホホ感」が強調され、岸野雄一と湯浅学の対談では、「モンドの必須条件」として「過剰であることと、アンバランスであること」、そして「一生懸命であること」の３つが挙げられている（岸野の発言）。

こうした説明からもうかがえるが、「モンド」は正統派の良き趣味からの逸脱によって特徴づけられながらも、インモラルな残酷性を第一の条件とするものではなかった。

たしかに、１９８０年代の日本に「モンド」を導入した高杉弾はまた、１９７０年代末に自販機雑誌「Ｊａｍ」で山口百恵宅のゴミ漁り（あさ）を敢行したことでも有名であり、このゴミ漁りは、「鬼畜系」を代表する後述の村崎百郎の直接の発想源となった。時代をまたいだこうしたつながりの事実はある。

それでも、「モンド」的なものを90年代半ば以降に隆盛を見る「鬼畜系」の一部のように扱う見方は、事後的な再構成にすぎないと言うべきだろう。実際、小山田が参加した先述の「This」誌の特集の冒頭の説明にも、「60〜70年代の『ストレンジ感覚』を漂わせたビザールな音楽やビジュアルなどを掘り起こすムーヴメント『モンド』」とあり、奇妙さや珍奇さへの傾きが強調されているにとどまる。

記事中での紹介によると、このLA紀行で小山田が購入したのはアポロの月面着陸――彼が生まれた1969年の出来事として格別の意味を持つのだという――の様子を記録したフィルムや偏愛する映画『猿の惑星』のスチール写真、人間の脳の仕組みを解説する子ども向けのポップ・アップ絵本、ミスター・T演じるテレビ・ドラマ『特攻野郎Aチーム』のコングの人形といったものであって、残虐さへの志向はうかがえない。そしてコングについては、このようにコメントされている。「一見、悪そうだけどとってもイイやつで、決まりゼリフ『大統領だって殴ってやらあ、でも飛行機だけは勘弁な』っていうのが大好きでした」

こうした発言に表れている「モンド」的スタンスは、90年代半ばの小山田の「悪趣味」への志向性がどのようなものであったのかをよく示しているように思う。たしかに彼は、第2章で見たアーティスト・イメージ再構築の模索の過程で、当たり障りのない「おしゃれ」さを求めるようなファン層からは距離を置きたいと思っていたのかもしれないが、だからといって過度の暴力性や残虐性を誇示しようと望んでいたのではない。[*4] 残酷さを含んだ世界のありのままを見つめながらも、そこから前向きな何かをつかみ取って、ある種の楽天性をもって生きること。重要なのはこうした姿勢であって、彼はそれを95年のあるインタビューで「悲観的楽観」と呼んでいる(「悲観的楽観主義者の明るい終末観」、「スコラ」1995年11月23日号)。

この言葉は、同時期に日本公開されたセルジュ・ゲンスブール最後の映画作品『スタン・ザ・フラッシャー』の劇場用パンフレット(1995年10月21日初版発行)のための対談で、漫画家の根本敬(たかし)と歌手(そして当時の小山田の交際相手)のカヒミ・カリィによって語られているものだ。

「根本〔…〕ゲンスブールって、根っ子の部分で楽観的悲観論者なのかな、それとも悲観的楽観主義者なのかな。絶望的な話を書いていても、何か暗さの向こうに、光ってるものを感じさせてくれるような気がするんだけど。／カヒミ　うんうん。ゲンスブールは悲観的楽観主義者だと思う。／根本　そうだよね。浄化作用って言うか……解毒作用がある。／司会　なるほど。根本さんの漫画も悲観的楽観主義者の作品ですね」等々。

「特殊漫画家」を自称し、『因果鉄道の旅』(1993年)などのエッセイでも知られる根本敬は、「悪趣味系」、さらには「鬼畜系」サブカルチャーに大きな影響を与えた。彼の仕事を今日どのように、またどの程度評価すべきかについてはさまざまな議論がありうるだろう。ここではただ、当時の小山田がそこから受け取ったのがこの「悲観的楽観主義」のメッセージだったことを確認しておきたい。

こうしたことを書き連ねたのは、小山田の「ROJ」および「QJ」でのいじめをめぐる発言を、「鬼畜系」の磁場に引き寄せて論じる傾向を相対化しておきたいからだ。

2021年夏の大炎上後、小山田圭吾が「いじめというよりは、もう犯罪に近い」とされる過去の行為を世間に取り沙汰され、あらゆる仕事を失う一方で、サブカルチャーの関心層の一部では、小山田のいじめ発言の背景をなすものとして90年代の「悪趣味系」、さらには「鬼畜系」と称される潮流がにわかに注目を集め、改めて振り返る気運が持ち上がった。そのひとつの象徴として、2022年の「すばるクリティーク賞」における鴇田義晴「90年代サブカルチャーと倫理―村崎百郎論」の受賞を挙げることができる（「すばる」2022年2月号）。

村崎百郎は、自宅周辺のゴミ漁りに情熱を燃やし、近隣住人とりわけ若い女性のプライバシー情報を下着写真とともに晒す雑誌記事などで90年代半ば以降に話題になったライターで、盟友の青山正明が創刊したアンダーグラウンド・カルチャー誌「危ない1号」（データハウス、1995—1999年）に「鬼畜系」を標榜(ひょうぼう)させるなど、前世紀末の日本文化の一角で一定の影響力を発揮したことで記憶されるが、2010年に読者のひとりによって刺殺された（なお青山は2001年に自殺）。

鴇田による「すばるクリティーク賞」受賞作は、第1節で「小山田の問題でクローズアップされたのが、90年代サブカルチャーの一分野を担った悪趣味、鬼畜系である」と切り出し、「今こそ90年代サブカルチャーが語られ、総括されねばならない」と続けることで、小山田の過去の言動と村崎が主導した文化現象の結びつきを強調している。さらに論を読み進めると以下のように、鬼畜系とりわけ村崎の書き遺したものを読むようにとの促しが見られる。「パンデミック下で強行開催された東京オリンピックに際して、期せずして注目を集めた90年代鬼畜系サブカルチャーは直視されなければならない。その中心的存在を担う村崎百郎のテキストは、今こそ向き合い、読まれなければならないものである」

しかし、奇妙なことに、この評論の取り組みは、むしろ「鬼畜系」文化の遺産の「直視」から読者を遠ざけることを目指しているようにも見える。実際そこでは、「汚物童子・村崎百郎の勝手に清掃局：隣の美女が出すゴミ」（「GON！」）のような「かなり過激な内容」の連載についてはごく漠然と紹介されるだけで具体的な引用はいっさいなされない。しかも、その後ただちに、「オレの定義する『鬼畜』っていうのは、人非人的な行為っていう意味だけではなく、より本質的なところで言えば、『他人に一切配慮せず自分の好きなことを貫く』っていう意味なんだよ」といった、さほど世間の反発を買いそうにない信念の表明が強調される。この評論では、「鬼畜系」の特異な残虐性を読者に突きつけるというよりはむしろ、多くの人びとに受け入れやすい村崎像の再構築が試みられているという印象を受けるのだ。

同じことは、鴇田が第1節で言及するロマン優光『90年代サブカルの呪い』(コア新書、2019年)についても言える。同書は第一章ですでに、「鬼畜系」文化は「あくまで反道徳性、犯罪性の強いものを考察してたり、語ってたりするものを消費する文化であって、表面上に見られる読者へのあおりも基本ポーズであり、犯罪を犯すこと、反道徳的行為を実行すること自体を指していたり、それをみだりに推奨していたわけではない」と断りを入れ、「そこは注意すべきところだ」と読者に念を押す。「実際に触れたことがないまま、鬼畜という言葉から非常に悪質なイメージを持つ人たちは当然いる」と述べることで、ロマンは要するに、実際に触れるなら、鬼畜という言葉の禍々しい響きにもかかわらず、それほど悪質な印象を受けることはないはずだと示唆しているわけだ。

鴇田の評論と同様、ロマンもまた具体的な引用を差し控え、具体例を欠いた断定によって、「村崎氏の鬼畜表現ってエンタメ」であるのだと読者に印象付けようとする。「ゴミ漁りにしろ、悪意にしろ、素晴らしい文章によってショーアップされたエンタメなんですよ」（第八章）。こうした断定によっては、村崎がどれほど「素晴らしい文章」を書いてきたのか、読者は自ら確かめることができない。そこでさしあたり、ここで一例を供することにしよう。以下に引くのは、首都圏のある強姦集団の最高幹部から送られてきたという「強姦についての思想的なエッセイ」より、「世紀末強姦宣言」の一節だけれども、内容や文体からして、リポート担当としてクレジットされている村崎の創作であることが推察される。

この先、誰に何を言われても、オレたちは強姦をやめねえぞ。誰も強姦を止めさせることなどできない。なぜならそれは人間の自然な生殖を根底から否定する事だからだ。そう、強姦を否定することは世界を否定することでもある。だいたい俺達に犯されるような女どもは、みんな心のどこかで俺達に犯されるのを待っているド淫乱な奴らばかりだ。俺達はお前ら女どもが心の底から望む以外の事は何一つしちゃあいないんだ。いいかげんに正直になれよ。「犯して下さい」って土下座してもいいんだぜ。誰も止めねえ。自分のカラダの欲望と淫らな血に正直に生きろよ。マタを開けば運命が開けるぞ。

（「危ない1号」第2巻）

先ほどの『90年代サブカルの呪い』第一章からの引用にも見られるように、ロマンの著書は、この点でも鴇田の評論と同様に、「鬼畜系」を現実の犯罪性向から切り離すという一貫した努力によって特徴づけられている。しかし、大麻取締法違反で逮捕されていた青山正明の保釈を機に開催されたイベントの記録を収めた「別冊危ない1号　鬼畜ナイト」（データハウス、1996年）を一瞥（いちべつ）するだけでも、こうした努力は結局のところ実りなきものに終わるのではないかという印象を受けないでもない。

「ウンコ一気飲みギャル」——「スカトロでも何でもな」く、「きっとウンコとか嫌いなんだけれど、お願いされるとイヤとはいえない性格で（爆笑）、〔…〕『できるよね！』って言われたら『うん…』って言っちゃうコ」なのだという——のビデオの話や「障害者を使って金を儲（もう）けるという手口」の紹介——貧乏な福祉団体に金を貸した上で脅迫し、脳性小児麻痺患者数十人をホテルに連れて行って居座らせる、など——を経て、読者は根本敬と佐川一政（いっせい）の対談風景に立ち会うことになる。といっても以下に引くのは、後者と青山・村崎とのやり取りである。

佐川：〔…〕きょうここへ来るまで、ぼくも自分のこと、鬼畜ナンバーワンだって思ってたんですけどね。なんか来てみたら、ぼくなんかナンバー100くらいで、危ないひとって、いっぱいいいるんですね〜。
青山：はははは、そりゃないですよ！　そりゃない、ない〜（笑）。
村崎：いやいや、やっぱ、佐川さんが上いってますよ。ぼくらも負けないよう、頑張りたいとは思うんですけどねえ〜。
青山：佐川さんに負けないように、みんな、頑張ろうて言ってるんですけど、ちょっと追いつけないい（笑）。
村崎：でもって、「佐川さん、次は誰を食うんですか？」って話を、本当はオレ、したかったたんですけどね〜。
佐川：目下、考えてるとこなんですよ（笑）。

村崎：たかが毛唐の女ひとり食ったぐらいで、いつまでもグダグダ文句いわれたんじゃ、もう、どうしようもないですよね。

「パリ人肉事件」（1981年）の犯人として知られる佐川は、1989年の宮崎勤事件の際にコメンテーターとして脚光を浴び、90年代を通して盛んなメディア露出を行っていた。「鬼畜系」文化隆盛のなか、彼が関連企画にひっきりなしに登場していたのは言うまでもない。

ロマンの著書では、佐川と交流し共同作業を行っていた根本敬について、「佐川一政氏のような過去に猟奇的な殺人事件を犯した人を面白おかしくとも取れるような形で取り上げることも当時から問題視する人がいました」と書かれているけれど（第八章）、「鬼畜系」の文脈の内部でそのような問題視がコンセンサスを得ていたようには思われない。実際、ロマンの主要な執筆活動の舞台であるコアマガジンは、21世紀になってメディア露出も途絶え困窮する佐川の生活支援のために企画を募り、2010年にTシャツ発売を実現しているが、その背面には彼が殺害したオランダ人女性の事件後の写真と、彼女の肉を口にした感慨をつづった手記『霧の中』（1984年）からの引用があしらわれている。

90年代から今世紀に至るまで、正真正銘の殺人者・食人者でありながらほとんど反省の素振りも見せない佐川は、まさにそれゆえに、この文化潮流のなかで強烈な存在感を保ってきた。佐川のこうした存在感を奇妙に周縁化しながら、「『鬼畜系』がギミックとして戯れてみせたような悪意」（第八章）を云々するロマンの著書が、鴇田の評論と同様、90年代文化の一面を回顧しながらも、今日において受け入れ可能なものになるよう配慮して、ほとんど拍子抜けするほどに穏健な「鬼畜」像を再構成している事実は確認しておくべきだろう。「目には見えないけど本当の世界があるとか、汚いものの中に綺麗（きれい）なものが本当はあるというような、非常に古くさいとも言える精神的な救いの話」（第八章）といった、誰も異議を唱えないような教訓へと村崎百郎の仕事を（さらには「鬼畜系」全般を）帰着させてしまうなら、それが同時代に持ったはずの問題性を抹消してしまうことにもなりかねない。

しかしここでは、こうした再解釈の意義について議論しようとは思わない。[*5] 本章の最後に「鬼畜系」の主題を取り上げ、いくつかの引用を通して、今日的な再構成においては見えにくくなっているその実像の一端を示したのは、前章と本章で見てきた小山田圭吾の言動を、この文化潮流に引きつけて説明することがおおむね不適切であることを伝えたかったからだ。

いわんや、ロマンの著書が「サブカルしくじり先生」のひとりとして小山田に焦点を当て、当時の「鬼畜系」の文脈からしても「頭おかしすぎ」だと主張しているのは的外れと言うほかない（第六章）。「QJ」の記事で語られる生徒たちの交流――本章で見てきたように、たしかに「いじめ」と言わざるをえない局面を含んでいるにしても、それに尽きるものではない――を読んで、それが「危ない1号」やその別冊「鬼畜ナイト」を構成する、総じて不愉快な一連のエピソードに比べより常軌を逸しているものと判断する読者がどれほどいるのだろうか。

例えば、ロマンは村崎のゴミ漁りと「いじめ紀行」を比較し、「ゴミ漁りというのは直接的に接触するわけではないので、被害者というものがわかりにくいし、いじめに比べると生々しさはありません」（第六章）と述べている。たしかに、「2丁目のコーポに住むコンピュータソフト会社のオペレーター本間ルミ子ちゃん（仮名／24歳）の捨てたパンティについていた小便のシミの位置」について誌上でいかに語ろうとも、下着を拾われた当人が直接傷つくことはない。しかし「ロリ顔なうえに身長が百50センチ以下でブラジャーも70のAという可憐なコ」だというこの「ルミちゃん」が捨てた紙袋の底に「ちぢれた陰毛も3本ばかりオマケで入っていて、本当に嬉しかった」こと、それらを「そっと舌の上に乗せてみたら、ほんのり塩味がきいてて、まるで心地よい潮風に吹かれながら波打ち際に立って、水平線に遠い視線を送る乙女の気分」になったこと、「パンティにほのかに残った体臭」に「甘く切ない少女の夏の日」を感じ、「ゆったりとした気分で勃起」したこと、こうして「ゴミを通してルミちゃんの陰毛やカラダの秘密までバッチリ」把握しているために、「ときどきコンビニで見かけたり、道ですれ違うルミちゃんのことがだんだん愛しくなってくる」ことなどを記す筆致は、十分に生々しいように感じられる（「勝手にゴミュニケーション」、「危ない1号」第2巻）。こうした記述を「素晴らしい文章によってショーアップされたエンタメ」として称賛する一方、小山田の——発言の極度の歪曲によって深刻な加害への加担を想像させる「ROJ」はともかく——「QJ」の記事を「凄惨極まりないいじめ（障がい者に対するものも含む）について面白おかしく語った」（第六章）ものとして理解するような感受性がどれほど一般的なのか、わたしは確信を持てずにいる。[*6]

あるいは、ロマンが「しくじり」でも「頭おかしすぎ」でもない「鬼畜系」の、「当時のムーブメントで影響力が強かった人」（第一章）のひとりとして評価しているAV監督、バクシーシ山下についてはどうだろうか。ロマンは山下の著書『セックス障害者たち』

（太田出版、1995年）を参照しながら、「初期の過激なレイプものに関しては、女優側にはレイプものなので嫌がる演技をするようにちゃんと伝える一方、男優サイドには実際のレイプを行うと騙すことで、リアリティを出すことに成功していた」（第四章）と評し、こうした作品を文字通りのレイプを撮影したものとして受け止める人びとを安心させようと試みている。しかし実際に『セックス障害者たち』を手に取り、「本気でレイプしてるつもり」の男優を前に「さすがに女の子も演技を忘れて」しまうとか、「本気で女の子を殴る〔…〕しかも正拳で鼻とか殴ってる」男優はひどいのだけれども「本当のレイプだと思ってるから仕方ない」とか、「無表情なカラミをしたことを言葉でイジメ抜」かれ「静かな恐怖」を味わわされた女優が「本当に怖かった」ために「ずっと震えて」いたのは「実際のレイプに限りなく近い感じ」だったし「この子にはゲロをかけることも言い忘れてた」とか振り返る監督の言葉を直に読むなら、女優には「ちゃんと伝え」ていたのだから大丈夫だというロマンの説明に納得するのはなかなか難しい。少なくとも、「いじめ紀行」第1回で回想される学校生活がこうした撮影現場よりも凄惨なものだと受け止める感受性は、かなり例外的なものではないだろうか。

いずれにせよ、『90年代サブカルの呪い』は、「コンビニで買うのに最も勇気がいる雑誌」（しらべぇ、２０２０年6月24日）と評される月刊誌「実話ＢＵＮＫＡタブー」の版元コアマガジンの新書レーベルの一冊であって、読者層は比較的限定されたものだったように思われる。問題は、２０２１年夏の大炎上を機に、第六章「サブカルしくじり先生」の小山田をめぐる部分が文春オンラインに転載されたことだ（「小山田圭吾のいじめ問題　誰も得しない〝加害者インタビュー〟を世に出してしまった『90年代サブカル』の空気」２０２１年8月2日）。そのため、「鬼畜系」現象のなかで何がなされ何が言われていたのかを知らない良識的な人びとまでがロマンの記事を読んで、90年代における小山田の言動が単に「鬼畜系」の影響下にあったのみならず、その標準的な作法を逸脱する危険なものだったという判断へと促されることになった。

「実話ＢＵＮＫＡタブー」の圏域から発せられた小山田をめぐる見解を主要ウェブメディアに転載するに先立ち、[*7]ロマンは熾烈なバッシングのさなかの２０２１年7月21日に「小山田圭吾と90年代悪趣味サブカルを改めて語る」と題する有料オンライントークイベントに出演し（「吉田豪の新・雑談天国 vol.8」LOFT9 Shibuya）、90年代における小山田との関わりを振り返っていた。

わたしは未見だが、あるツイッタラーによる一部の文字起こしがあるので（@honoiro

2021、2022年1月18日)、若干の表記を改めつつ以下にその一部を引くことにしたい。「俺なんか完璧に小山田君に『ああこいつキチガイでバカだから何もわかんないからバカにしても』って感じで扱われたのは分かってるので」「〔小山田はロマンが早稲田大学出身だと知らないのではないかという、吉田のコメントを受けて〕えー、知ってたんじゃないっすか?〔…〕でも舐める人はなんだって舐めるじゃないですか? 見た目で。いや、それはまあ、やってきたので俺は覚えてますよ」「俺東京出てきてから、あの人の人格で良い話を聞いたことが一度も無かったので。直で知ってる人からも」「いじめっぽいことをするような奴だってことを、それ以前にも聞いてはいたんですよね。94年より前も。『小山田は嫌なやつで~』みたいな」「だから警戒はしてたので。近寄らないようにしようと思ってましたね」「最初に会った時〔…〕、ちょっと挨拶くらいはしたんすけど、基本的にはカヒミ・カリィがいるって思ったくらいで、あんま興味はなかったっすね」「カヒミ・カリィがいるって、そっちの方が嬉しいじゃないっすか。カヒミ・カリィは意地悪してこないし」等々。

ふたりのミュージシャンのわずかな交流が幸福ならざるものだったことが痛いほど伝わってくる。ロマンは、「ROJ」および「QJ」での小山田の発言をかなり大雑把にしか読んでおらず、前者が「鬼畜系」のブーム以前のものであることを知りつつその圏域にあるもののように述べ（実際には、第2章で論じたように、小山田には酷烈な加害者像を打ち立てる意志などなかったのだし、問題含みの誇張と歪曲を行った山崎洋一郎の編集意図にしても、やがて「鬼畜系」として広まっていくものとはまた別のものだったように思われる）、「QJ」の記事もその延長線上で理解したうえで、先述のように「頭おかしすぎ」だと評しているけれども、こうした不幸な関係性ゆえの偏見に起因するのであれば、致し方がないことなのかもしれない。

もちろん、わたしもまた、小山田の「いじめ紀行」への登場を破局的な失敗とみなしている。しかし、「犯罪的」とみなしうるような加害の証言を含まず、障害のある学友たちとの交流の回想の側面が大きいこの記事が、それでも読者を心穏やかにさせない読み物になっているのは、90年代半ば以降に急速に広まったのち数年で失速した「鬼畜系」の現象とはあまり関係がなかろうと思う。それは端的に言って、この記事が「いじめ」をめぐる物語として提示され、そのようなものとして読まれているからだ。続く第4章では、この問題を考えてみたい。

第4章　「いじめ問題」への囚われのなかで

1　「いじめ紀行」を素直に読むことの難しさ

第1章で取り上げた、小山田圭吾ソロデビュー前の「月刊カドカワ」1991年9月号の記事からは、知的障害のある生徒「K」との印象深い交流が浮かび上がってくる。「クイック・ジャパン」（「QJ」）第3号（1995年8月）の「いじめ紀行」第1回に登場する「沢田」（仮名）は、この「K」にほかならない。

もしもこの生徒との交流の証言として1991年の記事だけが存在していたのであれば、おそらく多くの人びとは、そこにむしろ、パラリンピック開会式の音楽を担当するのにふさわしい少年時代の背景を認める気持ちになっただろうと思われる。けれども現実には、同じ交流は1995年に語りなおされており、そしてこの語りなおしがすべてを変えてしまった。

第3章で見たように、1995年の語りなおしにおいても、「沢田」との関わりを振り返る小山田の姿勢は、基本的に1991年の時点と変わらない。そればかりか、より詳細に語られるエピソードや、「沢田とはちゃんと話したいな、もう一回」といった述懐からは、彼がこの同級生との交流をいかに貴重なものと思っていたのかがいっそうしみじみと伝わってくる。

ただしそのように受け止めることができるのは、「QJ」のこの記事を素直に、偏見なく読んだ場合の話だ。そしてこの記事は、企画を立てた村上清自身の深い偏見により、まさに素直で偏見のない読解を強力に妨げる枠組みのもとに構成されている。彼は1991年の「月刊カドカワ」を読み、知的障害のある生徒との意義深い交流の事実を知って取材を申し込んだのではなく、「ロッキング・オン・ジャパン」(「ROJ」) 1994年1月号でのいじめをめぐる発言を読んでそうしたのであって、小山田に期待していたのは、悪びれない元「いじめっ子」の回想以外のものではなかったように思われる。

村上は、「沢田」の自宅を訪れて母親および本人と若干の言葉を交わしたことを小山田に報告しながら、「沢田さんが『仲良かった』って言ってたのが、すごい救いっていう……」(70頁) と述懐している。このような感想が出てくるのは、ふたりの関係をいじめっ子/いじめられっ子のものと決めてかかっているからであって、そうした偏見から自由にこのエピソードを読むなら、事実がシンプルに受け止められていないことにいぶかしい気持ちにもなる。

自ら取材をした村上は、小山田が犯罪的と言えるほどの過酷ないじめの加害者ではなかったこと、特に高校時代の「沢田」に対して、まったくいじめっ子として振る舞ってなどいなかったことを理解できたはずだ。しかし村上は、「それっていじめの話ではないですよね」と問いただすのではなく、いじめっ子といじめられっ子のあいだにも時には奇妙な友情が成立することがあるのだ、というかたちで小山田の語りを受け止め、その方向で記事を作成した。

第3章で見たように、小山田は「ROJ」で広まった深刻な誤情報を修正する機会を得るために、あえて「QJ」の企画の大枠を受け入れ——今から振り返るなら破局的な選択だったと言うほかないけれど——、「いじめっ子」代表のような扱いを明確に拒絶せずに取材を受けた。そのため村上は、当初の偏見をそのまま保ち続けることができたのだった。同じことは読者についても言える。「孤立無援のブログ」の歪曲的な編集——それが今日のインフォデミックの決定的要因となったことは第5章で検討する——を通して記事を読んだ21世紀の人びとと異なり、雑誌それ自体に当たった1990年代の読者は、「いじめ」とは言いがたい学友たちとの交流の回想が大部分を占めるこの「QJ」の記事を読み、ひとによってはエピソードの一部を好意的に受け止めることができた。それでも、当時の読者もやはり、この記事が「いじめ紀行」と題された企画の第1回であることから、「そもそもこれはほとんどいじめの話ではない」といった読み方はしなかったように思われる。

2 「いじめ」概念の「現実創発性」

ここからうかがえるのは、「いじめ」とは事実関係の問題である以上に言葉の問題であるということだ。小山田は、学校時代になんらかの到底容認しがたい行為に及んだというよりも、元「いじめっ子」という規定を受け入れて取材を受けたために、元「いじめっ子」とみなされている。

それは要するに、「いじめ」や「いじめっ子／いじめられっ子」といった言葉は、学校生活のなかで生じた事実を単に記述するばかりでなく、それらを用いることによって現実を書き換え、新しい現実を生み出すことができるということだ。教育社会学者の間山広朗（まやまひろお）が強調するように、こうした「現実創発性」は概念一般に備わっているものの、「いじめ」という概念には、事実関係を超えて新たな現実をつくり出すというこの側面が顕著に認められる（「いじめの定義問題再考」、北澤毅編『〈教育〉を社会学する』学文社、２０１１年）。

「いじめ」という言葉を用いることで、事実はどのように姿を変えることになるのか。大きく言ってふたつの方向性が考えられるだろう。甚だしい身体的な暴力が「いじめ」と呼ばれるとき、人びとはしばしばこの言葉の採用に反発を示す傾向がある。「いじめというより犯罪」といった言い回しがよく口にされ、厳しい法律的対応を求める声が上がるのがその証だ。また逆に、悪口や陰口や強要や仲間はずれのような行為、さらには相対的に軽度の身体的暴力については、それを「いじめ」と名指すことで事態の深刻性が強調され、たとえ法律による処罰が難しいにしても、被害者にもたらす精神的な苦痛の点において、許されざる「悪」には違いない何かとして捉えなおされることになる。

小山田圭吾をめぐる2021年夏の大騒動後の展開を見ると、「いじめ」という言葉の使用をめぐるこうしたふたつの感じ方の両方を認めることができる。

当初、小山田の一件がSNSを沸騰させ、やがて国際的な報道の対象となったのは、学校時代の小山田が知的障害のある生徒たちに排泄物を食べさせ、自慰を強制するといった凄惨な行為を悪びれずに雑誌で語っていた、とされたためだった。例えば『報道ステーション』のアナウンサーは、「小山田さんのやったことは〝いじめ〟というよりは、もう犯罪に近いようなことだというように思われます」と語った（2021年7月19日）。

本書の元になる原稿が執筆された2021年の夏から冬のあいだに、それらの事柄はまずはSNSで盛んな発信に努めた有志によって、ついで小山田本人によって、事実性を否定されていった。それにもかかわらず、夏にこの件を報じたメディアは現在（2022年12月）に至るまで訂正を行っていない。しかも、夏以後も情報を追い、当初拡散された情報が大いに歪曲されたものであったという事実を知った人びとのなかにも、今回の大騒動を不幸にして不当な「インフォデミック」とみなすよりも、多少とも正当な告発の動きだったと考え続けることを選ぶひとは、決して少なくないように見受けられる。

報じられた事柄の事実性が否定されたというのに、一部の人びとは報道の側の——また歪曲された情報を鵜呑みにした自らの——問題を問うことよりも、小山田に対して険しい顔を向け続けることを選んでいる。それが可能になるのは、「犯罪」として処罰されるほどのものではないとしても「いじめ」に関わったことは事実、という感覚があるからだ。

小山田圭吾は、夏には「いじめというより犯罪」と言うべき凄惨な所行があったとして非難されていた。秋以降は、大手メディアでの訂正がなされないために多くの人びとが同じ認識のままである一方、新たな情報を得た人びとの一部もまた、程度の多少はともかく「いじめ」と言えるような行為に何らかの仕方で関与したという理由に依拠することで、依然として小山田に厳しい眼差しを向け続けている。前提となる事実がほとんど完全に別物となっているのに、元「いじめっ子」という小山田像はそのまま維持されている。こうしたところに、「いじめ」という概念の柔軟性、程度問題も事実問題も乗り越える融通無礙な力を認めることができるだろう。

3 「いじめの四層構造論」の影響力

このような力の秘密はどこにあるのか。それには「いじめ」を直接の被害者と加害者のあいだの二者関係において捉えるのではなく、ひとつの構造のなかで生じる出来事として捉えるという、1980年代に生じた視点の転換が、大きな役割を果たしている。この視点の転換を促し、今日に至るまで「いじめ」をめぐる定説として評価されてきたのが、森田洋司・清永賢二『いじめ―教室の病い』（金子書房、1986年）で最初に提起された「いじめの四層構造論」だ。

「いじめられっ子」に「いじめっ子」が対峙するだけでなく、その周囲に囃し立てる「観衆」や黙認する「傍観者」がいて、いじめはこれら四層からなる構造のなかで生まれるのだと説くこの理論においては、とりわけ傍観者の役割の大きさが強調される。傍観者は、直接加害に関わっている自覚がないとしても、加害を黙認し、歯止めがかからない状況をつくり出すことによって、いじめの成立に決定的な役割を果たすのだという。

「傍観者も加害者である」とする森田らのこの学説は、今日に至るまで教育現場および教育行政に強い影響を与えてきたばかりではない。そのような学者の見解があることを知らない人びとのもとにも、「いじめは傍観者も悪い」、さらには「傍観者が一番悪い」といったよく聞く言い回しとなって、広く浸透している。

森田はこのようないじめ理解を、劇場モデルとして説明している。そこでは「教室全体が劇場空間であり、いじめは舞台と観客との反応によって進行するドラマである」とされる（『いじめとは何か―教室の問題、社会の問題』中公新書、2010年）。

問題は、実のところ、このモデルはあらゆるいじめを説明できるわけではないということだ。例えば、本書執筆時点で最近の大きないじめ事件と言うべき、2021年春に最初の報道がなされた旭川市の中学生凍死事件の場合、当初報じられた一連の出来事のすべては教室の外で、上級生や他校生徒との関係のなかで起こっており、クラスメートにはそもそも傍観の余地などなかった（遺族側はクラスでの孤立を学内での「いじめ」と認定するよう求めているが、いずれにせよ、劇場モデルの不成立というこの点は変わらない）。

それでは、2012年夏に大きな問題となり、翌年の「いじめ防止対策推進法」制定につながった大津市の中学生自殺事件はどうだろうか。そこではたしかに、同級生間の関係が問題となっていた。けれども、北澤毅・間山広朗編『囚われのいじめ問題―未完の大津市中学生自殺事件』（岩波書店、2021年）の共同研究によれば、当該生徒らの教室においても、「その場にいたすべての人びとがまったく同じ意味世界を生きていたわけではない」（7章、稲葉浩一・山田鋭生執筆）。

ある生徒の証言では、彼らの「関係性に対し『いじめ』の認識を抱いていた生徒は身近にはいなかった」のだという。教室内で展開されていた行為は、多くの生徒には、「いじめ」と思うような深刻な出来事とは受け止められていなかった。教室内で周知の「いじめ」を、ある者は「観衆」として囃し立て、ほかの者は「傍観者」として見て見ぬ振りをするといった図式は、ここには適用しがたいというのが北澤らの結論だ（後述するように、この共同研究では、そもそも当該生徒の自殺を「いじめ自殺」とみなすこと自体が問いなおされている）。

北澤らの共同研究はさらに進んで、この「いじめの四層構造論」普及のきっかけとなり、今日なお事あるごとに振り返られる、1986年のいわゆる「葬式ごっこ」事件の実態を再検討している。根拠として参照されるのは、この中野富士見中学の事件を精力的に取材した朝日新聞記者（当時）の豊田充の著書、『「葬式ごっこ」―八年後の証言』（風雅書房、

1994年）にまとめられた元同級生らの証言だ。事件発生の2か月ほど前に森田らの『いじめ―教室の病い』をゲラ刷りで読んでいたという豊田は、当初から本件を四層構造論の典型的事例とみなし、5年後の「朝日新聞」紙上に森田へのインタビュー記事を掲載するほか（1991年4月6日夕刊）、1994年の自著にも改めて森田の談話を収めている。

ところが、豊田の『「葬式ごっこ」』に収められた同級生らの発言から浮かび上がってくる教室の光景は、森田の理論を裏付けるものとは思えないのだ。この点は豊田自身も自覚していたようで、2015年に北澤主宰の研究会に招かれ、質問に答えて、「不本意な思いがした。しかし、私はジャーナリストとして、彼らの語りを正確に伝えようと思った」と語ったという（『囚われのいじめ問題』終章、北澤執筆）。

それでは、豊田のこの本に収められた元生徒らの証言からうかがえるいじめの実態とは、どのようなものか。実際にこの重要な証言録を読まれることを勧めたいけれど、本書の著者の印象を記しておくなら、教室全体を巻き込んだ「葬式ごっこ」は、おそらく自死に至る苦しみの中心的な原因ではなかったように思われる。「このままじゃ『生きジゴク』になっちゃうよ」というあの痛切な言葉を含む遺書では、「（原因について）くわしい事については○とか△〔原文では実名〕とかにきけばわかると思う」と述べられている。自分の深い苦しみの原因が同級生全員に自明のものだと考えていたのであれば、このような書き方はしなかったはずだ。

この生徒の日々を「生きジゴク」に近いものにしていたのは何より、同級生にも教師にも見えないところで繰り返されていた身体的暴力だったようだ。ある元生徒は、「二学期の後半から、先輩（三年生）がからんで、鹿川へのいじめが暴力的になったようだが、そういうことは、鹿川が死んでから分かったことで、みんな知らなかった」と振り返っている。別の元生徒の証言も引いておこう。「やつの家にお悔やみに行ったら、本棚にビートたけしの『喧嘩が強くなる法』〔おそらく『タモリのケンカに強くなる本』（ＫＫベストセラーズ、1978年）の記憶違い〕があった。『こんな本を見るより、自分を鍛えた方がいいのに。Aに対して一発でも殴り返せれば、あんな目にあわなかっただろう』と思った」

1980年代の「葬式ごっこ」事件から21世紀の大津市や旭川市の事件に至るまで、大きく報じられた事件の少なからずは四層構造論に当てはまらないようなのだ。けれどもそれだけにかえって、森田らの理論が大きな成功を収めたという事実は意義深いと言うことができるかもしれない。単に教育行政公認の説となるばかりか、それは「いじめは傍観者も悪い」「傍観者が一番悪い」といった俗説として世間知の一部にまでなったのだから、人びとの直感に響くところがあるのは疑いえない事実だ。

4　構造重視の何が問題か

こうした直感を支える現実を無視することはできないだろう。実際、被害者の自死を導いたり大きく報じられたりすることはなくても、教室という劇場でクラスメート周知のもとに展開される「いじめ」は決して珍しくなく、わたしたちの社会は見て見ぬふりをした傍観者への恨みを抱える元被害者や、何もできなかったことへの後ろめたさを抱える元傍観者に満ちている。けれどもその一方、「傍観者の悪」を説くこの世間知への違和感や反発もまた、しばしば聞かれるところだ。こうした感覚もまた、わたしたちの直感に適うものとして、やはり世間知の一角をなしているように思う。

一般的なかたちで述べるなら、このことは構造重視の観点の両義性の問題と関わっている。いじめであれ何であれ、直接の当事者間の関係を超えた大きな構造を問うという姿勢は、問題をより広く深く捉えることを可能にする。しかしそこにはまた、複雑かつ多様な現実を、ある特定の問題をめぐる単一の構造へと切り詰めてしまい、人びとが生きる現実の全体を捉え損なうというリスクもある。

いじめの構造的把握に即して述べることにしよう。囃し立てる「観衆」ばかりでなく、積極的な加担とは無縁な「傍観者」までもいじめの関与者とみなし、後者こそはいじめの遂行に決定的な役割を果たすという四層構造論は、学校生活を構成する多様な現実を捨象し、いじめとそれを支える構造だけを抽出することで成立する。こうした観点に立つなら、すべての生徒は定義上、何らかのかたちでいじめに関与していることにならざるをえない。

たしかに、こうした広義での関与を考慮に入れるべき局面もあるだろう。けれどもこうした捉え方には、加害責任の所在と程度を曖昧化し、出来事にほとんどあるいはまったく関わっていなかった人びとの責任を不当にまたは過度に問うことになりかねないという問題がある。

またこうした見方は、被害者（や潜在的な被害者）の観点からしても、問題なしとはしない。「いじめ自殺」という捉え方は、自死の背景としていじめ被害しか見ないところに成立するものだが、そのような見方はしばしば単純にすぎる。世界保健機関（ＷＨＯ）は、２０００年に初めて公表したメディア向けの自殺予防の手引の最新版で、次のように述べている。

自殺は単一の要因または単一の出来事から生じた結果ではない。人を自殺へ追い込む要因は多様かつ複雑であることが多く、単純化して報道すべきではない。

（「自殺対策を推進するためにメディア関係者に知ってもらいたい基礎知識　2017年最新版」本橋豊監訳、自殺総合対策推進センター、2019年）

それにもかかわらず子どもの自死を「いじめ自殺」として過度に報じることは、いじめ被害のさなかにある子どもたちに自分たちの苦しみが死に値するものであり、自ら命を断つことが正当な解決なのだと考えさせることにつながりかねない。

「いじめ自殺」報道はひとつの典型にすぎない。形態も程度もさまざまな生徒間のトラブルを同じ「いじめ」という言葉で表し、それらすべてを命に関わる災厄として解釈するとともに、直接の被害者・加害者以外の人びとをも巻き込んだ構造の問題とみなすなら、被害者の苦しみがかえっていっそう深刻なものとなるばかりではない。そうした見方は、関与の程度を超えて、場を共有するすべての子どもたちを、命に関わるこの「いじめ物語」の登場人物に仕立て上げてしまう。

小山田圭吾は「いじめ紀行」の取材を引き受けることで、この「いじめ物語」の不名誉な登場人物となることにはからずも同意した。この選択が不幸な失敗だったのは言うまでもない。けれども、「いじめ紀行」という枠組みのなかで語られているという理由から、いじめとは関係のない交友のエピソードを素直に読むことに困難を感じるわたしたちの側にも、そこで実際に語られている事柄よりも「いじめ物語」の定型を尊重してしまうという、劣らず不幸な囚われがある。

そのように考えるなら、小山田をめぐる今回の騒動の背景として何より重要なのは、しばしば言及されてきた「悪趣味系」や「鬼畜系」といった、今日では廃れた過去の文化現象ではない。そうではなく、21世紀にまで引き継がれ、現在のわたしたちがなおその内部で思考しているために対象化して語るのが難しい、こうした文脈に目を向けるべきなのだ。以下では、とりわけ教育社会学のいくつかの成果に助けられながら、ほかならぬ「いじめ」という言葉をめぐる文脈形成と、それが内包する問題性について考えてみたい。

5　1985年――「いじめ問題」の誕生

動詞「いじめる」の連用形を名詞化することで得られる「いじめ」は、明治時代にすでに用例がある（『日本国語大辞典』第二版に記載の最も古い用例は1892年のもの）。しかしそれは今日のように、もっぱら学校生活と結びつけて理解されるのではなく、社会生活のさまざまな場面で用いられてきた。北澤毅『「いじめ自殺」の社会学』（世界思想社、2015年）は「朝日新聞」のデータベース『聞蔵Ⅱ』から、「教員いぢめ」「小作人いぢめ」「弱い者いぢめ」「実姉をいじめ殺す?」「息子いじめ」などの用例を取り上げて、この言葉がかつては「多様な人間関係トラブル」に関して広く用いられてきた事実を強調する。

「いじめ」の歴史を振り返る際にしばしば言及されるように、『広辞苑』（岩波書店）は初版から1983年の第三版に至るまで、この言葉を記載していない。「弱いものを苦しめる」という動詞「いじめる」の語義さえ理解しておけば十分だという判断の表れだろう。ところが1991年の『広辞苑』第四版で初めて「いじめ」が立項され、次のように定義される。「いじめること。特に学校で、弱い立場の生徒を肉体的または精神的に痛めつけること」（傍点引用者）。そしてそれに伴い、動詞「いじめる」の項目には、「下級生を—・める」という例文が追加される。ここから察せられるのは、1980年代を通して、名詞形が学校生活上の問題と結びついて広く社会的に流通し、そのため動詞「いじめる」も、元来の意義の一般的な広がりを保ちながらも、とりわけ学校との関わりで用いられるようになってきたということだ。ではより具体的には、いったい何が起こったのか。

1980年代初頭の時点では、学校生活の大問題と言えば「校内暴力」だった。「いじめ」は、すでに見たように社会生活のさまざまな場面で折りに触れ用いられる言葉であって、学校生活とも関わりうるとはいえ、それとの特別な結びつきは確立しておらず、今日であれば統一的に「いじめ」と呼称されるに違いない学校生活での出来事は、しばしばほかの言葉で表現されていた。

例えば芹沢俊介『「いじめ」が終わるとき』（彩流社、2007年）は、1982年3月に生じた岩手県の中1女子の自殺事件が「いびられ自殺」として報じられたこと（「産経新聞」4月2日）、6月に生じた北九州市の中2男子の自殺事件が「耳が悪いとなぜ差別？」（「朝日新聞」7月8日西部夕刊）と報じられたことを例に引きつつ、この時期の報道では「いじめ」とほかの言葉が混在していたのだと説く。それでも1983年になると、「『いじめ』という言葉は、ほぼ共通の言語として定着しはじめたといっていい」。

こうした流れのなか、1984年11月には大阪市同級生殺人事件が世間を騒がせた。いじめ被害を苦にした報復という動機が明らかになったのを契機に、マスコミは同時代の学校の主要な問題を、「いじめ」という言葉のもとに捉える方向に向かっていく。

それから間もない翌85年1月、水戸市でいじめを苦にした中2女子の自殺事件が発生、「朝日新聞」は岩手県の中2男子の自殺と併せ、「死を呼ぶ〝いじめ〟」という大見出しのもとに報道を行う(1月23日朝刊)。北澤前掲書によれば、この報道は、いじめを深刻な問題として確立していく流れに「決定的な影響を及ぼした」。北澤が強調するように、実のところ、岩手の事件については、この記事自体が「『えん世』の見方も」と記しているように動機が判然としないまま続報が絶えてしまうし、水戸市の事件も、当初は「もういじめないでね」と記された書き置きの存在が母親により語られたことから大きく報じられたものの、この遺書的メモの実在は結局確認されずに終わった。

それでも、1985年の1年間を通し、「朝日新聞」に限らず各紙によって、やはりいじめによるとされる子どもたちの自殺が何件も報じられ、いじめを学校生活に関わる深刻な――死をもたらしかねない――社会問題として捉える見方が確立していく。

ここで、『「いじめ自殺」の社会学』のなかから興味深い事例として紹介しておきたいのは、1985年6月に開催された「みんなでいじめをけっとばそう」というイベントにおける、当時の高校生ふたりによる小中学校時代のいじめられ体験の振り返りだ。そのうちのひとりはこのように発言している。「実際にいじめだなというのは、なんとなくうすうす気がついていたんですね、だけど僕もこう負けず嫌いですから一生懸命我慢してたんですけど」（傍点は北澤）。北澤が述べるように、この高校生はおそらく、体験の時点では「いじめ」として理解していなかったものを、遡及的にいじめカテゴリーのもとで解釈しなおしている。なお、１９６９年１月生まれの小山田圭吾は１９８５年度の高校２年生であり、したがって上記の２生徒と同様、いじめ言説の確立以前の小中学生だったことを確認しておこう。

ともあれ、こうしてわたしたちの生きる社会は、「『いじめは死に値するほどの苦しみを生み出し、自殺の原因になり得る』といういじめ認識が成立した社会」になった。

この１９８５年の言説形成の直後、86年２月には、今日でも「葬式ごっこ」事件として記憶される、先ほども言及した中野富士見中学いじめ自殺事件が大きく報じられる。この時期を第一の波として、一般に、いじめ自殺は四度にわたり大きな社会的注目を集めてきたものとされる。第二波は１９９４年11月の愛知県西尾市中学生いじめ自殺事件の時期、第三波は２００６年秋に一連のいじめ自殺事件が報じられた時期（前年秋に自殺を図り１月に死亡した北海道滝川市の小６女子の遺書が公開され、いじめが原因であることが判明、折しも自殺した福岡県筑前町（ちくぜんまち）の中２男子の件と併せ報道が過熱したのを受け、各地に連鎖自殺が広まった）、そして第四波は、すでに触れた大津市の中2男子の事件が「いじめ防止対策推進法」制定を促すに至った2012年夏以降の時期。これら一連の時期を通し、いじめをめぐる上述の認識は、強化されこそすれ決して問いなおされることはなかった。

こうした社会の動きは、小山田の一件とその反響を考える際に大いに関係がある。「QJ」第3号（1995年8月）の「いじめ紀行」第1回の取材は、愛知県の事件とその後の連鎖自殺の報道を背景になされているし、小山田のいじめ問題を蒸し返す以後の動きは、いじめ自殺の報道に触発されて盛り上がりを見せてきたからだ。

第5章で見るように、2ちゃんねるでの「小山田祭り」は、2004年6月に生じた埼玉県蕨市の中2女子の自殺事件（上述の一連の事件ほどではないにせよ、大きく報じられた）が引き起こした憤りのひとつの副産物だと言える。楽天ブログ「電気熊はアンドロイドの夢を見るか?」が「小山田圭吾における人間の研究」を公開したのは、2006年秋の連鎖自殺に続く時期のことだ。そしてこのブログがはてなに移り「孤立無援のブログ」となったのちの2012年夏、この記事は大津の事件が人びとを憤激させるなかで突如として注目され、以後持続的に幅広く読みつがれながら、2021年夏の国際的スキャンダルへの道筋をつけることになる。

こうした機会に小山田に向けられてきた憤激が、善意と正義感に促されたものであることは疑いえない。しかしここで指摘しておくべきは、教育社会学者の伊藤茂樹が強調するように、いじめに起因する自殺は、「子どもの自殺の中ではごく一部の、どちらかと言えば珍しい自殺」であるという事実だ。伊藤はこの事実を踏まえ、こうした「ごく例外的な現象」が過度な注目を集めてきたことの社会的な意味を問いなおしている[*1]（前掲『「子どもの自殺」の社会学』第1章）。

伊藤によれば、自殺報道を通して確立されてきた「いじめ」観には、問題の予防や解決を妨げる「逆機能」が認められる（第4章）。「いじめ」と称される多様な、深刻さの程度もさまざまな行為全般を、被害者の自死を促す「絶対悪」のように捉えることは、子どもたちや元子どもたちの日常をかえって生きがたいものにしているかもしれないということだ。

6　大津市の中学生は「いじめ自殺」をしたのか

ここではこの点を、すでに簡単に触れた北澤毅らの共同研究に即して見てみることにしたい。『「いじめ自殺」の社会学』を著した北澤は、その後大津の事件をめぐる共同調査を組織し、2021年9月に前掲の『囚われのいじめ問題』を上梓した。そこでは、世論において近年最大規模の憤りを引き起こしたこの自殺事件を、「いじめ自殺」と決めつけることの問題性が論じられている。

実のところ、この事件ではいじめっ子とされた生徒らがいじめの事実を認めていないばかりでなく、自殺した生徒もまた、飛び降りの前夜に書いた反省文（祖父母宅からの現金持ち出しが発覚後、父は生徒を叱責しつつ、それをいじめっ子の強要によるものだろうと捉えていた）のなかで、「俺には、悪い友達は一人もいない。それだけは、わかってほしい」と主張していた。直接の当事者が誰も認めていないいじめの存在は、「自殺の練習」をさせられていたといった一部生徒の証言（なお当初センセーショナルに報道されたこの「自殺の練習」は、伝聞に基づくものにすぎず、事実として確証されなかった）のほか、遺族の訴えに基づくものでしかない。

自殺生徒の父が起こした訴訟は、地裁では元同級生ふたりに約3758万円の賠償額支払いの判決が出たものの、高裁では約400万円に減額（2020年2月）、最高裁は両親側の上告を棄却し、この二審判決が確定した（2021年1月）。「いじめ自殺」という大枠を受け入れつつも、自殺生徒の家庭環境の問題の重大さを認めることで賠償額を大幅に減じたこの判決を、北澤らの共同研究はあえて評価してみせる。それは「少年の自殺を行為と行為の単純な因果関係で捉えるのではなく、子どもの生活世界全体の中で起こった多義的な事象として捉えたもの」であって、こうした冷静さは一定の年月を経ることで初めて可能になった。たしかに世論では歓迎されなかったとはいえ、そこには単純な「いじめ自殺」観を打ち出した当初の「第三者調査委員会の報告書から七年もの時を経て、ようやく社会的に承認されたまなざし」を認めるべきだというのだ（9章、紅林伸幸執筆）。

実際、父からの暴力や叱責が稀ではなかったという点を含め、家庭環境の問題を軽視することは難しそうだ。二審判決の根拠となった一連の事実を見るなら――祖父母宅からの現金持ち出しが発覚後、父は息子に「発達障害」の可能性を告げて受診させることを決定、息子はショックで家を飛び出し一夜を戸外で過ごす（自殺は受診予定日の2日前になされた）、自殺前日には両親の離婚がほのめかされる、そして自殺当日、出先の父からの電話でテレビの後ろにパンの袋を捨てただろうと叱責され、息子は通話を一方的に切り、再度電話を受けて小言を言われ、その約13分後に自宅マンションから飛び降りる、等々――、学校での出来事だけが原因ではないというのは妥当な判断であるように思われる。

7 「よく聞く話」は多様な現実を圧殺する

そしてこの共同研究は大津の自殺事件だけにとどまらず、より一般的に「いじめは死に値する苦しみである」という認識枠組み自体を社会構築主義の立場から問題視する。北澤が『「いじめ自殺」の社会学』ですでに論じていたように、「いじめ」を死に値する苦しみとみなす言説空間の成立は、かえって子どもたちの苦しみの——過剰ないじめ自殺報道に起因する連鎖自殺を思うなら、時として死の——原因となっている側面もある。子どもたちはしばしば、降り掛かってきた出来事それ自体よりも、そうした「自分の経験を『いじめ』という枠組みで解釈し、いじめ言説に囚われることで独特の苦しみを経験」しているのかもしれない。

児童・生徒が学校生活のなかで過酷な加害に苦しむことがないよう配慮すべきなのは当然だ。しかしそのために、児童・生徒間の交流のなかで生じる多様な、程度もまちまちなトラブルを「いじめ」の一語に集約し、そこにカテゴライズされた経験はすべて希死念慮を生じさせかねない悪とみなすという社会的通念が成立したことが、学校生活を生きやすいものとしたかどうかは決して自明ではない。

大津の事件を契機として2013年6月に国会で可決成立した「いじめ防止対策推進

法」は、「当該行為の対象となった児童等が心身の苦痛を感じているもの」すべてを「いじめ」と定義した。『囚われのいじめ問題』で指摘されるように、被害者の主観を根拠とするこうした定義は、「個人の事情を考慮しているようで、個人の事情を排除」してしまう。というのは、「被害者」の時として事後的な申し立てにより、いったいどのような行為が「いじめ」と認定されるのかがわからないこうした定義のもとでは、対策は「いじめになるかもしれないものは一切禁止するしかない」といった画一的な予防措置に向かいがちだからだ。少なからぬ小学校での「あだ名禁止」措置はその典型と言える(同書9章)。

ともあれ、1980年代半ば以降、児童・生徒間に生じる厄介事を「いじめ」という解釈格子のもとに理解するよう促す強力な磁場が形成されてしまった。問題含みの関係にあるふたりがひとたび「いじめっ子/加害者」と「いじめられっ子/被害者」の対立的構図のもとで捉えられると、もはやこのふたりは友人同士とはみなされない。一見すると仲が良い、あるいは同じグループにいるのであれば、「包摂型のいじめ」という説明が用意されている。

こうして、被害者に加害者が対峙し、その周囲は囃し立てる観衆や黙認する傍観者となり(「四層構造論」)、教師や学校や教育委員会はしばしば事実の隠蔽を画策するといった

「よく聞く話」が成立する。このストーリーが厄介なのは、それが見事に当てはまり、(元)当事者がわがこととして感じられる事例に事欠かないだけに、そうではないさまざまな学校生活上のエピソードにまでこの構図を当てはめ、多様なリアリティを圧殺してしまう強い社会的圧力が生じているからだ。

このように一般社会が「よく聞くいじめ問題」に囚われた末に起きるのは、私たちの個別具体的な生があるとき突然「よく聞く話」へと再構成され、またそれにそぐわないことは捨象されるという事態である。

(『囚われのいじめ問題』7章)

8 フィクション的想像力が「いじめ問題」に搦め捕られていく

しかも、さらに厄介なことがある。1980年代半ば以降のいじめ言説の確立に多少とも違和感を覚え、それに抵抗しようとする努力もまた、逆説的なかたちで「いじめ問題」の磁場に搦め捕られ、いじめ言説の強化に貢献してきたという事実を、指摘しなければならないのだ。

第3章第1節で取り上げた岡崎京子『リバーズ・エッジ』であれ、「SPA!」(199

7年5月28日号）の「いじめられっ子カルチャー」特集であれ、無垢な被害者と非道な加害者の二分法とは別のリアリティを強調する一方で、それでもやはり、当時の中高生の精神的風景の色合いを決定づける最重要の要素としていじめを捉えていた。いじめは、なにしろ死への強い誘因となるほどの苦しみの糧とされるのだから、それを前にしては、生徒たちが学校の内外で経験するほかのさまざまな出来事は色褪せてしまう。

中高生の生活世界の現実をいじめ体験に収斂させていくというこうした傾向から生まれた意図せざる産物として、主として「小説トリッパー」（朝日新聞出版）掲載作をまとめた短編小説アンソロジー『いじめの時間』を挙げることができる（江國香織・大岡玲・角田光代・野中柊・湯本香樹実・柳美里・稲葉真弓、朝日新聞出版、1997年／新潮文庫、2005年）。それが意図せざる産物であると言うべき事情は、前掲「SPA!」の特集記事で説明されている。

『小説トリッパー』'96年冬季号では、〝学校の時間〟という小説特集が組まれたが、「テーマは学校だったにもかかわらず、いじめを扱った作品以外なかった」（同誌編集部・宇佐見貴子氏）という。学校＝いじめ。このような図式が確立するほど、いじめはまんべんなく行き渡った。

これは、小説や漫画のカルチャーを通して共感できるものは今やいじめ体験だけ、という世代が出現しつつある証かもしれない。

実際に「小説トリッパー」の該当号を手に取ると、この号の特集企画の一種異様な構成に驚かされる。特集の総タイトルは「いじめの向こう側」であり、扉では「いじめいじめられる関係の力学の向こう側にあるものは？」と問いかけられている。ところが、宇宙飛行士・毛利衛（まもる）の「サイエンスセミナー」の記録に始まる特集記事の大部分は、いずれも学校や子どもに関わるものではありながら、いじめとはまったく関わらないか、部分的な言及を含むにしても中心的主題とはしないものなのだ。その一方、特集全体の後半に置かれた「小説特集『学校の時間』」は、すでに見たように、すべてがいじめ問題を主題としている。

ここから推察できるのは、同誌の当初のもくろみは学校特集であり、多様な取材記事やエッセイに小説特集を組み合わせ、学校生活のさまざまな側面に光を当てることが構想されていたけれども、小説家たち全員がいじめをめぐる作品を寄稿してきたという事実を重く見た編集部が、総タイトルをアレンジすることで対応を図った、ということだ。作家たちの物語が描き出すように、今日の「学校の時間」は少なからぬ子どもたちにとって、「いじめの時間」というべき困難な時間であるのかもしれない、それでも学校生活のなかにはより実り多い活動の可能性も用意されているはずなのだから、「いじめの向こう側」にも目を向けてみてはどうだろうか――「小説トリッパー」編集部はこのようなかたちで、特集全体のメッセージを構想しなおしたのだと思う。

実際のところ、１９９０年代であれ21世紀の現在であれ、学校内外での経験のすべてがいじめ問題に収斂していくといった事態は、おそらく、幸いにして、多くの子どもたちの現実となっているとは言いがたい。その意味で、フィクション作品を通して「共感できるものは今やいじめ体験だけ、という世代」の出現という上記「ＳＰＡ！」誌の指摘は、あまり正確なものとは思えない。「まんべんなく行き渡った」のは、いじめではなくいじめ言説であって、むしろ問題は、大人たちがつくり出してきた社会的認識だ。

すべての自殺は――とりわけ成長途上の子どもたちの自殺は――痛ましいにしても、すでにみたように、いじめに起因する自殺は、子どもの自殺のなかの少数事例にとどまる。にもかかわらず、１９８０年代半ば以降、そうした例外的な事例が過剰に報道されるなかで、死を選ばせるほどの苦しみをもたらすものとしてのいじめこそが、子どもたちの世界に不安な影を投げかける最大の問題であるかのような社会的申し合わせが成立していく。

こうした展開を踏まえたうえで、もう一度「小説トリッパー」の特集を振り返ってみよう。特集前半は、いじめ問題に決して収斂しない学校生活の諸相に光を当てていた。それに対し、後半の小説特集では、寄稿者全員がいじめを扱っていた。この事実を前にして、作家たちは子どもたちの生活世界の最も厳しい現実にまっすぐ目を向けようとしたのだと考えるべきか、それとも、彼らはいじめをめぐる社会的通念に影響を受けるあまり、大部分は「いじめの向こう側」で営まれているはずの子どもたちのありのままの日常を捉えそこねたのだと考えるべきか。

蓮實(はすみ)重彦は1974年の文芸時評にこのように記した。

たまたま春先に季節はずれの大雪が降ったりすると「文芸誌」の創作欄の頁に、「春先きの大雪」が二、三ケ月遅れで氾濫してしまうといった事実。それは、わが国の小説家たちが自然の表情に敏感だという伝統的季節感を証拠だてるのか、それとも彼らの途方もない鈍感さを物語るものなのか。（『文学批判序説』河出文庫、1995年）

こうした事例とまったく同一視したいわけではない。それでも、「学校の時間」というお題に全員がいじめをめぐる創作で応えてしまったという事実を前にしては、学校生活をめぐりいつからか共有されるようになった通念に作家たちが十分に抵抗できなかったという、想像力のいわば集合的な敗北の証をそこに認めないでいるのは難しい。

『いじめの時間』に収められた諸作がおおむね、いじめをめぐる「よく聞く話」には収まりのつかない現実を描き出そうと努めていることはたしかだ。しかしそうした努力のいっさいは、いじめこそが子どもたちの生活世界の大問題であるという前提のもとでなされており、こうした前提をかえって強化せずにはいない。

同じことは、岡崎京子『リバーズ・エッジ』についても言えるだろう。ここではそのことを、同作とそれに先立ち「CUTiE」に連載（1990年12月号—1992年12月号）された『東京ガールズブラボー』を比較することで考えてみたい。前者を読んで山田のいじめられっ子ぶりを記憶にとどめないでいることは難しいけれど、後者の主要登場人物のひとり、犬山のび太もまた、いじめられっ子として描かれている。といっても、その事実は作品後半でことのついでといった調子で簡単に素描されるにとどまり、「実はのび太くんはいじめられっ子だったのです」（傍点引用者）と唐突に説明されたのち、それ以上に追求されることがない。

単に作中で執拗に描かれないだけでなく、おそらくのび太当人にとっても、いじめを受けているという事実は、日常を構成する諸要素のなかのひとつ、それも相対的に見て決して重大ではない要素のひとつにすぎなかったのだろうと想像できる。のび太には聴きたいラジオ番組があり、行きたいライブがあり、気になる女子転校生がいるのだから、取るに足らない同級生の悪ふざけになど、心を煩わせている暇はなくて当然だ――作品を読む誰もがそのように思うか、さもなくば彼が「実は」いじめられっ子だという事実など、気に留めることもなく忘れてしまうはずだ（実際わたしは、１９９０年代に愛読したこの作品を四半世紀ぶりに再読するまで、この事実をすっかり失念していた）。

『リバーズ・エッジ』の山田も音楽好きであることが強調されるし、気になる先輩がいることも描かれている。けれどもそうしたすべては、「自分が生きてるのか死んでるのかいつも分からないでいる」という陰鬱な心象風景をどうすることもできない。山田に「勇気」を、生への活力を与えることができるのは、愛する音楽でもひそかに思いを寄せる男子生徒でもなく、河原で腐りゆく誰かの死体だけなのだ。

この作品の傑作性に異論を差し挟むつもりはないけれど、文化的好奇心に満ちた少年の心象風景を、死へと誘う苦しみとしてのいじめ体験を中心に構成するという選択が、ほかのさまざまな選択のなかのひとつにすぎないということは確認しておきたい。実際、岡崎自身、『リバーズ・エッジ』の直前には『東京ガールズブラボー』のような作品を描いていたのであり、また1994年には小沢健二のセカンド・アルバム『LIFE』を聴き、生きる喜びの表現に溢(あふ)れたこの作品に感銘を受けて、[*2]ミュージシャン当人との対談（初出「パチ・パチ・ロックンロール」1994年10月号）でこのように述べていた。

「あたしは何だかんだ言ってまだ人間が小ちゃいし、抜けてないなあと思っちゃった。漫画描くとすぐ人死んじゃうし、あんまり殺伐としたものやってるのはイケナイのかしらなんて思ったり。それに飽きちゃったってのもあって、何か別のことやりたいなと思ってるんだけど」

（『岡崎京子の仕事集』文藝春秋、2012年）

周知のように、そうはいっても岡崎は、その後もやはり「殺伐」路線の『ヘルタースケルター』（「FEEL YOUNG」祥伝社、1995年7月号―1996年4月号）に取り組むことになる。けれども、こうした発言を見るなら、この路線が彼女の結論では必ずしもなかったこと、「何か別のこと」に――すべてが死への思いへと収斂していくのではない表現に――改めて挑戦する気持ちを持っていたことがわかる。『ヘルタースケルター』の連載終了直後に事故により沈黙を余儀なくされることがなかったなら、同じ道を歩み続けたかはまったく自明ではないのだ。

9 「いじめ紀行」の両義性と逆説

1980年代半ば以降に成立したいじめ言説の磁場のなか、「マスメディアをはじめ小中学生の子どもたちまでが、身の回りで生起する多様な出来事を解釈する枠組みとして、『いじめ』概念を使用し始める」（北澤前掲『「いじめ自殺」の社会学』）ようになって久しい。しかもそればかりでなく、これまで見てきたように、この磁場は、いじめをめぐる「よく聞く話」に抵抗しようとするフィクション作品の試みまで搦め捕りながら、死への誘因となりうるいじめこそは現代の学校生活の大問題であるという通念を強固なものにしてきた。「QJ」で村上清が企てた「いじめ紀行」についても、一面では同じことが言える。けれども興味深いことに、この連載企画は実際のところ、小山田圭吾を取り上げた第1回はもちろん、編集者・ライターの竹熊健太郎をゲストとする第2回（第4号、1995年10月）、デトロイト・テクノの立役者ジェフ・ミルズに取材した第3回（第5号、1995年12月）も含めて、立案者の意図とは無関係に、全体として意義深い両義性を備えた読み物となっている。

どのような両義性か。この連載は、一方ではいじめこそは学校生活の大問題であるという前提を維持・強化していながらも、他方では、企画を立てた村上の意図に反して、児童・生徒の生活世界におけるいじめの重大性を相対化する内容となっているということだ。いじめの重大性の相対化というこの結果は、取材者の思惑と被取材者の語る内容の齟齬（そご）に起因している。取材を受けた3人は誰も、いじめが自分の学校生活に最も深い刻印を残した事実だったなどとは考えておらず、いじめ以外の多くの事柄についてこそ、熱心に語ってやまないのだ。フィクション的想像力が、学校と言えばいじめ、というじめ言説に搦め捕られていくそのときにあっても、学校時代の現実を振り返る言葉は、「いじめ紀行」という枠組みのなかでさえ、いじめに収斂するはずもない学校生活の諸相に踏み込んでいく。

それでも、最も「いじめ紀行」という題目にふさわしい内容を備えているのは第2回の竹熊健太郎の記事だろう。そこで竹熊は、まずはいじめられっ子としての自身を振り返るけれど、怨恨に満ちた復讐を企てたことを告白することで、被害者の無垢という通念を覆してみせる（この観点からすると、外見上の類似・非類似を超えて、竹熊は小山田よりもよほど『リバーズ・エッジ』の山田に近い）。しかもそれだけではない。やがて「国鉄鉄民（くにてつてつみん）」というペンネームを持つ友人を得た竹熊は、中学の頃、この友人と「一緒になって女の子いじめてたことがある」のだという。「ガスA」「ガスB」と名付けられた「気に入らない女の子」たちについて、彼はこのように語っている。

「ガスAは小柄だったけど、ガスBの方は大柄なブスの子でね。なんか白人系のブスみたいな顔してたわけですよ。で、ガリ版で新聞とか作ってたかもしれない。「ガスA撲滅」みたいなさ。一〇年位経（た）って同窓会でその子と会って。大変に困ったよね。「あの時は本当もう、毎日泣いてたんだから」みたいに言われて。今はもういいお母（か）さんになってるけどさ。こっちは「いやー申し訳ない」とか言って（笑）」

（「ＱＪ」第4号）

こうしたくだりと小山田の第1回を読み比べるなら、典型的な元いじめっ子の相貌を備えているのは竹熊のほうであるように思える。少なくとも「QJ」第3号を読む限り、小山田が主導して、誰かに毎日涙を流させるほどの執拗な苦しみを与えたことがあったとは思えないのだから。[*3] また、1980年代半ば以降、いじめっ子といじめられっ子の立場は容易に入れ替わるということが現代型のいじめの特徴として指摘されてきたけれど、この回想（1960年生まれの竹熊の中学時代、つまり1970年代前半のもの）を読むと、それがそこまで新しい現象なのかどうかが疑わしくなってくる。

ともあれ、いじめられっ子の秘めたる残酷さやいじめっ子への転換を率直に証言するこうした回想が、「いじめ紀行」第2回を最も連載の趣旨に適った記事にしていることは事実だ。にもかかわらず、この竹熊の回でさえ、全体としてはむしろ、いじめの学校生活における位置づけをそれほど大きなものとは感じさせない内容になっている。「国鉄さんがいたから、いじめっていうのは、どっかいっちゃったよね、途中で。ほんと、楽になりましたよ（笑）」と語る竹熊にとって、いじめられっ子としての日々はいかに苦しみに満ちた不毛なものだったとしても、学校生活全体の一時期であるにすぎない。このインタビューで彼が多くの言葉を費やすのは、この友人「国鉄」をめぐるさまざまなエピソードなのであって、いじめ話だけでは内容に乏しすぎ、到底一本の記事とはならなかったろう。

いじめを耐え忍ぶ日々におどろおどろしい復讐を構想し、やがて心を許せる友人に出会うところまでは山田一郎と重なり合うにしても、結局のところ、竹熊健太郎の学校生活からもうひとつの『リバーズ・エッジ』をつくり出すことはできそうにない。いじめの時間が去り、「国鉄」と過ごすようになった新しい日々は大いに充実していたようで、苦しみの過去は竹熊の心象風景から消え去ってしまったか、少なくとも、折りに触れ思い出される不愉快な一エピソード程度のものとして後景化されてしまったように思われるからだ。

『囚われのいじめ問題』終章では、自分の経験を「死に値する苦しみ」としての「いじめ」の被害を受けたというかたちで捉えることが、かえって当事者を出口のない苦しみのうちに閉じ込めてしまいかねないという難点が改めて指摘され、問題の克服の道筋が展望されている。そのためには、自分の経験を過度に深刻なものと受け止めず、いじめ被害を相対化して、1980年代半ば以降に形成された「いじめ物語」とは別の物語の登場人物として自らを捉えなおすことが必要だとして、北澤は以下のように説く。

私たちの日々の生活やこれまでの人生のすべてが「いじめられてばかりだった」と

いうことはありそうにない。自己の存在を肯定できるような何らかのエピソードがこれまでの人生の中に必ずあるはずだ。

竹熊の「いじめ紀行」第2回は、まさにこのような「いじめ経験」の「再著述化」の実践として読むことができるだろう。

そして第3回のジェフ・ミルズ。彼の場合は、日本におけるいじめ言説の磁場からまったく自由であるため、「テクノDJはヒップホップDJにいじめられてるんじゃないか?」という村上の思い込みから生まれたこの取材記事で、ふたりのやり取りはほとんど噛み合っていない。そもそもミルズには、「いじめ」などというものを大問題として扱うこと自体が不毛なことだとしか思えないようだ。

「いじめは避けるに越したことはないよ、長い目で見れば。さもなければ立ち向かうかだ。何て言うか、そんなことに関わるのは時間の無駄だと思うよ。人と対立したりするよりもっと大切なことがあるだろう? 良い成績を取るとか、ちゃんと卒業するとか……〝前へ進め〟だ。それが一番だろう?」

(「QJ」第5号)

それでも、「本当にしつこくなってしまって申し訳ないんですけど」と断りを入れつつ具体的ないじめ体験を打ち明けてくれるよう迫る村上に、ミルズは高校入学時にバスの乗車チケットをめぐり喧嘩になった生徒らとのエピソードを語る。彼らは「単に僕をいじめたかったたんだろう」としつつも、ミルズは「その中の一人とは実際後で親友になった」のだという。

そんなエピソードでは物足りない様子の村上に促されて、ミルズが次に語るのは、DJになってからクラブで銃を乱射されたエピソードだけれど、これはもはやまったく「いじめ」とは関係なく、デトロイトという町の危険な環境の証言でしかない。「いじめというのを通り越している」と言うべき米国の暴力的な現実を見据えながらも、彼は音楽のような生産的な何かに打ち込むことで新しい現実を切り開いていこうとしていた。いじめこそが子どもたちの大問題だという日本的通念を前提としつつ、そこにある「エンターテインメント」性に注目しようという村上清の観点と相容(あいい)れる余地がなかったのも当然と言うほかない。

10 「いじめ紀行」第1回――呪いと囚われ

最後に再び、小山田の第1回に立ち返ることにしよう。小山田もまた、この「いじめ紀行」の発言の大部分で、学友たちとのいじめとはみなしがたい交流を語っている。とりわけ、中心をなす「沢田」との交流から浮かんでくるのは、小学校時代の「毒ガス攻撃」を含めてさえ、決して典型的な――悪意に満ちて執拗な――いじめの光景ではない。

実際、4年近く前の「月刊カドカワ」で同じ学友との思い出を振り返ったとき、彼はおそらく、いじめという重大な背景をあえて隠したなどというつもりはなかっただろう。「QJ」でも、「沢田に会いたいな、僕」（68頁）という率直な希望の言葉は、間違いなくいじめっ子のものではない。だから、いじめられっ子との再会に抵抗を感じないのか、という趣旨の村上の質問に対し、「どうなんだろうなあ？　これって、僕って、いじめてる方なのかなあ？」（同頁）と質問で答える小山田の逡巡も、文字通りに受け止めるべきだろう。

小山田圭吾はいじめ言説の確立以前の小中学生だったことを忘れてはならない。だからここで彼は、「いじめ」とカテゴライズされる行為すべてが、被害者の自死を帰結させかねない倫理的悪とみなされるに至った1990年代の言説空間のなかで、高校時代に交流を深めた学友に小学生の頃に行った、問題含みだとはいえ悪意のない――「お詫びと経緯説明」の言葉を用いるなら、「遠慮のない好奇心」に駆り立てられた――振る舞いに、遡及的にその名を与えなければならないものかと自問していたのだと思われる。

言うまでもなく、「お詫びと経緯説明」で今日の小山田が小学校時代を振り返り、「ダンボール箱の中で黒板消しの粉をかけるなどの行為は、日常の遊びという範疇を超えて、いじめ加害になっていたと認識しています」と反省するのは尊いことだと思う。そんなことはしないほうがよかったのは、たしかなのだから。

けれども、この「加害」よりもはるかに深刻だったのは、「いじめ紀行」の取材を受け入れたこと、そこで、上記のような逡巡を示しつつもいじめっ子代表のような扱いを甘受して、学校生活のさまざまな思い出を語ってしまったことだ。

第3章第4節で述べたように、実質的な内容は「月刊カドカワ」と大差ないものだとしても、それを「いじめっ子」が「いじめられっ子」との日々を振り返るという枠組みのなかで語りなおすなら、無用な、というより破局的な印象の変化が生じざるをえない。「いじめ紀行」の小山田はいじめっ子だった過去を率直に語ったというより、この取材を受けることで過去の自らをいじめっ子にしてしまった部分が大きい。

その意味で小山田は、今日の破局をはるか四半世紀前から準備することになった呪いを、自分でかけたと言うことができるかもしれない。しかし同時に、実際には大部分がいじめの話ではない記事を読んで（あるいはタイトルと不正確な概要しか知らずに）、実態に見合わない許しがたさの感情を表明せずにはいられないというのは、わたしたちの側の先入観の表れでもある。本章で見てきたのは、このわたしたち自身の囚われの問題だ。

ともあれ、第3章第3節での指摘を改めて繰り返すなら、「いじめ紀行」の取材を受けた背景に、「ROJ」の誤情報だけは修正しておきたいという焦燥があったことは決して忘れてはならない。小山田は、このロック誌の記事による最悪の呪いだけは解呪しなければという思いから、「QJ」の企画に乗ったのだった。

しかし不幸にして、21世紀のウェブ空間では、この「QJ」の記事は「ROJ」のいじめ発言の顕著な修正としてではなく、その禍々しい印象をさらに補完するものとして、断片的で誤解を招く抜粋のかたちで広く人目に晒され続けることになった。最後にわたしたちは、1990年代の文脈から離れ、2021年夏のインフォデミックに至る今世紀の展開に目を向けなければならない。

第5章　匿名掲示板の正義が全国紙の正義になるまで

1　エコーチェンバーからインフォデミックへ

米国の法学者キャス・サンスティーンは、インターネットにおける「エコーチェンバー」現象を最初に指摘した学者として知られる（『インターネットは民主主義の敵か』原著2001年／石川幸憲訳、毎日新聞社、2003年）。全世界に開かれているはずのサイバースペースのあちらこちらに閉鎖空間が生まれ、その内部で共鳴室のように特定傾向の意見や情報のみが響き渡ることで、人びとの分極化が進んでいくというあの厄介な現象は、現在も深まりこそすれ沈静化の兆しもない。

しかし今日のサンスティーンは、分極化にもまして、当初はその重大性を十分に認識していなかった誤情報や偽情報の大規模な拡散――インフォデミック――に注目しているようだ。近年のインタビューを引こう。

誤情報・偽情報の拡散は、私がこの問題に関心をもち始めた2000年当初から10年を経ても、じつはまだ大きな問題として十分に認知されてはいませんでしたし、私自身も十分に認識していませんでした。エコーチェンバー現象の一部のように思われていたのです。エコーチェンバーがもたらす分極化の問題と誤情報・偽情報の問題は、もちろん重なり合うところもありますが、同じものではありません。

「マスクをしてはいけない」とか「ワクチンを打つとかえって死ぬことになる」などの情報は特定のグループで構成されるエコーチェンバー内で生成され流通しますが、やがてそのエコーチェンバーを越えて広がっていきます。とりわけ健康、安全、ワクチン、食、あるいは政治家や国家についての情報は、人々が知ろう・学ぼうとすることによって、広範に広がっていきます。誤情報の問題はエコーチェンバーよりも、より大きな問題となるのです。

(「劇場で『火事だ!』と叫ぶ」取材・文=若林恵、監訳=遠藤真美、「tattva」第1号、2021年4月、ブートレグ)

ウェブ空間においては、情報は一方では蛸壺(たこつぼ)的になり、そこでは時として、単に偏っているばかりでなく誤った情報が、修正を被ることもなく繰り返し流布され、そうした疑わしい情報を根拠にした問題含みの信念が集団的に強化されていく。けれども他方では、そうした情報とそれに基づく信念は、何かのきっかけがあると一気に外に溢れ出し、社会全体に感染症のように広がっていく。エコーチェンバー現象からインフォデミックへのこの転換が、今日の世界を悩ます大問題であるのは間違いない。

2021年7月に生じた小山田圭吾をめぐる大騒動は、まさにこのサイバースペースの病の産物だと言える。これまでその内容とそれを取り巻く文脈を検討してきた1990年代半ばの2誌の記事は、2021年夏に突如として掘り起こされたのではない。小山田の「いじめ」をめぐる発言は、21世紀初頭以来、アンダーグラウンドなネット空間で文脈から切り離されつつ拡散されてきた。そしてそれはやがて、あるブログを通してオーバーグラウンドに、それもいっそう誤印象を煽(あお)り立てるような編集のもとに現れ、さらに広められていく。小山田圭吾のオリンピック・パラリンピック開会式への協力が知られるや、歓迎の声に混ざってただちに懸念や告発の声が上がったのはそのためだ。

この一件を国内外の大手メディアが扱うにふさわしい問題として確立したのは、「毎日新聞」の「炎上」報道だった。第1章第3節で簡単に触れたように、執筆担当の山下智恵記者はツイッターでの告発の根拠として「ロッキング・オン・ジャパン」(「ROJ」)1994年1月号と「クイック・ジャパン」(「QJ」)第3号(1995年8月)のインタビューを挙げているものの、明らかに内容を吟味せず、両誌をきわめて問題のある方法で取り上げたブログをそのままなぞるような記事を書いている。
このブログ――「孤立無援のブログ」――の記事は、おおむねアンダーグラウンドな世界で燻（くすぶ）っているだけだった小山田の「いじめ」問題を、公共の議論の場へとつなげる決定的な役割を果たしたものとみなすことができる。ではこの媒介の役割はどのようにして可能になったのか。本書は最後に、この点の検討に取り組むことにしたい。[*1]

2 「2ちゃんコピペ」の誕生と「小山田祭り」

小山田圭吾のいじめ発言、特に「ROJ」1994年1月号に刻み込まれた強烈なエピソードは、「QJ」の「いじめ紀行」第1回における当人の暗黙裡（あんもくり）の修正の試みもむなしく、90年代後半を通して忘れられることがなかった。そして21世紀に入ると、普及が進むインターネットを通し、このエピソードは現代を代表する先鋭なポップミュージシャンの危うい一面としてひそやかに――おおむね匿名掲示板を通して――語り継がれていく。

巨大匿名掲示板「2ちゃんねる」（2017年10月以降の「5ちゃんねる」）邦楽板の歴代のコーネリアススレッドを振り返ると、2001年7月7日に立てられた初代には「いじめ」の話題はたった一度、「イジメッ子は嫌いなの」というコメントが書き込まれているにとどまる。同年10月5日に立てられた2代目以降、次第にこの件の書き込みは増えていくけれど、それで場が荒れるようなことはなかったし、多くは90年代に記事を読んだ記憶に基づき、各自の印象を語り合っていたように思われる。ここでは一例として、3代目(同年10月26日〜)の抜粋を引いておこう。

645：　：01/11/28 06:30 ID:NU2qSEVc
私はいい話だと思ったけどなあ。ＱＪのいじめ話。
特に知恵遅れっぽい男の子に妙に小山田君が好かれていて、
首から下げるティッシュを作ってあげた、とかさー。
最後の年賀状とかも。

646：　：01/11/28 07:50 ID:QF36SJTl
>>645
それだけでいい話しにすり変わるなんて
冗談言うにもほどほどにしとけよ。

647：名無しのエリー：01/11/28 08:51 ID:sfilaA70
はだかにしてロープでぐるぐる巻きにしてオナニーさせたんだっけ？
感動的だったなぁ。

648：ツアー逝きたい：01/11/28 10:03 ID:mrnMmNAz
今になってここぞとばかり書くようなことでもない。あの頃の彼は露悪的なところがあったとは思うが。

コメント番号645と646のあいだでは、「いい話」の分量が多いにもかかわらずそれらが「いじめ話」の大枠で語られているという「いじめ紀行」の独特な性格が、解釈の違いによるギクシャクとした対話を引き起こしている。647は「QJ」ではなく「ROJ」の記事に拠（よ）りながら皮肉混じりに小山田を告発し、648は90年代の記事の問題性を認めながらも、今から振り返ることの不毛さを説いている。場を多少とも気まずくする問題含みの話題ではあるにしても、両誌の記事全体を実際に読んでいたり、ほかのさまざまな場所での小山田の発言を通して当時の文脈を記憶している人びとを中心としたやり取りであれば、非難一色に染まることはないことがわかる。

13代スレッド（2003年10月1日〜）に初めて、「ROJ」のいじめ発言の引用が登場する（それに先立ち、ほかの板のスレッドに書き込まれたものの転載のようだ）。ここで注目しておきたいのは、引用が細部において不正確なことだ（図3参照）。しかし以後の「2ちゃんコピペ」はすべて、この最初の誤記を修正することなく繰り返していく。

続く14代スレッド（同年12月22日〜）にも、この「コピペ」は何度も貼られる。強烈かつ不愉快な印象しか残さないこのコピペが徐々にスレッドの雰囲気を悪くしていき、15代（2004年3月4日〜）になると、平穏にコーネリアスを語りたい常連はうんざりした様子だ。「まともな住人は、もう皆このスレに見切りをつけて去っていて、〔…〕結果的として、このスレが粘着君のほぼ独り劇場になってるんじゃないかと」「このスレの住人はもうネタの一つとしてやれやれな感じだよね／ただ邦楽板だけで何回も小山田イジメねたで熱くなってるスレみたから」等々。

先ほど見たように、このコピペの定着以前には、いじめ問題が話題になる場合でも、各自が雑誌記事を読んだ記憶に基づき、それぞれの意見を表明することができていた。「R

●いちおう参加したという満足感だけ？
「そうそうそう、満足感だけ（笑）。そのスリルを味わいに行くっていう」
●はははは。
「あとやっぱうちはいじめがほんとすごかったなあ」
●でも、いじめた方だって言ってたじゃん。
「うん。いじめてた。けっこう今考えるとほんとすっごいヒドいことをしてたわ。この場を借りてお詫びします（笑）。だって、けっこうほんとキツいことしてたよ」
●やっちゃいけないことを。
「うん。もう人の道に反してること。だってもうほんとに全裸にしてグルグルに紐を巻いてオナニーさしてさ。ウンコを喰わしたりさ。ウンコ喰わした上にバックドロップしたりさ」
●（大笑）いや、こないだカエルの死体云々っつってたけど「こんなもんじゃねぇだろうなあ」と俺は思ってたよ。
「だけど僕が直接やるわけじゃないんだ

265 ：**原点**：03/10/12 22:32 ID:esQkWuQL
「ロッキンオン・ジャパン」平成８年１月号
血と汗と涙のコーネリアス！　小山田圭吾２万字インタビューより引用

「あとやっぱりうちはいじめがほんとすごかったなあ」
●でも、いじめた方だって言ったじゃん。
「うん。いじめてた。けっこう今考えるとほんとすっごいヒドイことしてたわ。この場を借りてお詫びします（笑）だって、けっこうほんとキツイことしてたよ」
●やっちゃいけないことを。
「うん。もう人の道に反してること。だってもうほんとに全裸にしてグルグルに紐を巻いてオナニーさしてさ。ウンコを食わしたりさ。ウンコ食わした上にバックドロップしたりさ」
●（大笑）いや、こないだカエルの死体云々っつってたけど「こんなもんじゃねえだろうなあ」と俺は思ってたよ。
「だけど僕が直接やるわけじゃないんだよ、僕はアイディアを提供するだけで（笑）」
●アイディア提供して横で見てて、冷や汗かいて興奮だけ味わってるという？（笑）
「そうそうそう！『こうやったら面白いじゃないの？』って（笑）」
●ドキドキして見てる、みたいな？
「そうそうそう！（笑）」
●いちばんタチ悪いじゃん。
「うん。いま考えるとほんとにヒドイわ」

【図３】上／『ロッキング・オン・ジャパン』1994年1月号
下／「２ちゃんコピペ」最初期の書き込みのひとつ

OJ」1994年1月号のインタビューがいじめ発言に限らない豊富な内容を含んでいるのはもちろん、「QJ」の「いじめ紀行」第1回にしても、ライターの企画趣旨とは無関係に、小山田の語りの大部分はいじめっ子／いじめられっ子関係とは別種の交流の思い出を語っているのだから、それらを実際に読んだ人びとの印象が、凄惨ないじめへの反発に収斂しないのは当然だ。

けれども、「ROJ」の引用が小山田の悪辣な人間性の問答無用の証拠であるかのように貼り付けられ、問答無用という確信に見合った一様な告発調の書き込みがそれに続くという展開が常態化することで、この問題をめぐるニュアンスのあるやり取りは不可能になるとともに、ほかの話題を語り合えるような平穏な環境はすっかり荒廃してしまう。こうして、いじめに対する――ネットスラングで言うところの――「絶許」の声ばかりがこだまするエコーチェンバーが、巨大匿名掲示板というアンダーグラウンドなウェブ空間の一角に生み出されることになった。

そうしたなか、2004年6月、埼玉県蕨市で女子中学生のいじめ自殺事件が発生する。そしてこの痛ましい事件と関連付けられて、小山田の過去の行為を問題視し拡散する動きが邦楽板にとどまらず2ちゃんねるのほかの板にも広がり、当時「小山田祭り」と言われた盛り上がりへと一気に発展する。

3 「クソガキどもを糾弾するホームページ」

しかもそれだけではない。この「祭り」のさなか、2ちゃんねるの狂騒はアンダーグラウンドなウェブ空間の別の一角へと伝わることになる。当時知る人ぞ知る存在だったウェブサイト「クソガキどもを糾弾するホームページ」の管理人に、小山田の件を記事化するよう要望が出されたのだ。2004年7月22日の管理人の「ご挨拶と中間報告」には、「某ロックミュージシャンが、少年時代の悪行を得意げに雑誌で語っているとの情報もいただきました。／詳細を調べた上、事実と判明したら糾弾したいと思います」と記されている。掲載後、10月23日の挨拶はこうだ。


お待たせしました。少年時代に悪行を働いたミュージシャンを暴露します。コーネリアスこと小山田圭吾といいます。

「警察に追及されていないクソガキ」として掲載しましたのでとくとご覧ください。

クソガキ犯罪者リストにも掲載しました。有名人だろうと無名人だろうと同等に扱います。

こうして、このウェブサイトの主要コーナーである「クソガキ事件一覧」に、「ROJ」の抜粋が取り上げられた。なお確認しておくと（図4参照）、管理人は、「ROJ」の該当号を入手しわざわざ写真を掲載していながら、いじめ発言の文言を自分で入力せず2ちゃんねるからのコピペで済ませたようで、「2ちゃんコピペ」の誤記をそのまま継承している。また、「①無理矢理服を脱がせて、②縄で縛り、③排泄物を無理矢理食べさせ、④レスリング技のバックドロップをくわえる、ここまでの犯罪行為を連続して行う人間も珍しいと思います」から始まる管理人のコメントは、以後第二の「2ちゃんコピペ」として、第一のものと並び、繰り返し各所に貼り付けられることになる。

未成年犯罪者の実名や顔写真ばかりか近隣住民の個人情報までも（電話などで元凶悪犯が近くに住んでいる事実を知ってもらうためという理由で）公開するという過激な手法で知られたこの著名なアングラサイトへの小山田圭吾の登場のインパクトは、情報サイト「探偵ファイル」による以下の紹介記事（2011年8月7日）からも見て取れるだろう。この記事では、そこで取り上げられる「クソガキども」のラインアップが、「神戸連続児童殺傷事

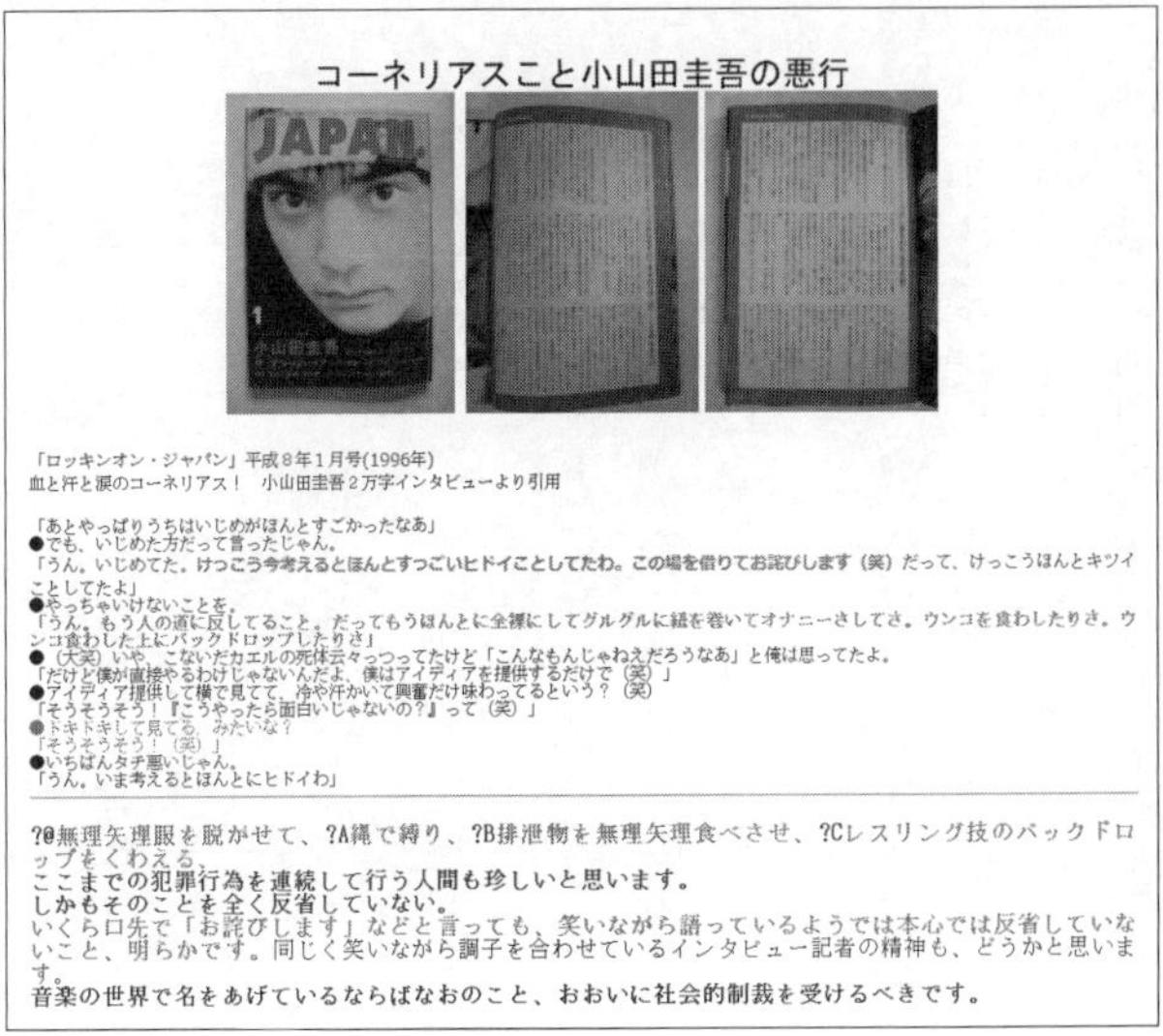

コーネリアスこと小山田圭吾の悪行

「ロッキンオン・ジャパン」平成８年１月号(1996年)
血と汗と涙のコーネリアス！　小山田圭吾２万字インタビューより引用

「あとやっぱりうちはいじめがほんとすごかったなあ」
●でも、いじめた方だって言ったじゃん。
「うん。いじめてた。けっこう今考えるとほんとすっごいヒドイことしてたわ。この場を借りてお詫びします（笑）だって、けっこうほんとキツイことしてたよ」
●やっちゃいけないことを。
「うん。もう人の道に反してること。だってもうほんとに全裸にしてグルグルに紐を巻いてオナニーさしてさ。ウンコを食わしたりさ。ウンコ食わした上にバックドロップしたりさ」
●（大笑）いや、こないだカエルの死体云々っつってたけど「こんなもんじゃねえだろうなあ」と俺は思ってたよ。
「だけど僕が直接やるわけじゃないんだよ、僕はアイディアを提供するだけで（笑）」
●アイディア提供して横で見てて、冷や汗かいて興奮だけ味わってるという？（笑）
「そうそうそう！『こうやったら面白いじゃないの？』って（笑）」
●ドキドキして見てる、みたいな？
「そうそうそう！（笑）」
●いちばんタチ悪いじゃん。
「うん。いま考えるとほんとにヒドイわ」

?@無理矢理服を脱がせて、?A縄で縛り、?B排泄物を無理矢理食べさせ、?Cレスリング技のバックドロップをくわえる。
ここまでの犯罪行為を連続して行う人間も珍しいと思います。
しかもそのことを全く反省していない。
いくら口先で「お詫びします」などと言っても、笑いながら語っているようでは本心では反省していないこと、明らかです。同じく笑いながら調子を合わせているインタビュー記者の精神も、どうかと思います。
音楽の世界で名をあげているならばなおのこと、おおいに社会的制裁を受けるべきです。

【図４】「クソガキどもを糾弾するホームページ」

件の『少年A』から、音楽雑誌で過去のいじめを告白した小山田圭吾まで」と紹介されている。

「クソガキどもを糾弾するホームページ」が小山田を取り上げたことは、「小山田祭り」を続けようとする人びとを大いに沸かせた。2ちゃんねる邦楽板の18代コーネリアススレッド（2004年10月13日〜）から若干の書き込みを引こう。そこでは、著名ミュージシャンが未逮捕の「クソガキ犯罪者」として扱われたことで大はしゃぎする声と、実情に不釣り合いな展開に驚き呆れる声が並び合っている。

162：名無しのエリー：04/10/24 19:58:50 ID:DkW1/3er
ｷﾀ━━━(ﾟ∀ﾟ)━━━!!!!

コーネリアスこと小山田圭吾の悪行
〔…〕

この有名サイトに取り上げられたことで、
小山田の悪名が全国区に轟きわたるのも時間の問題となりました。
葵氏の英断に心からの賛辞を送ります。

163：名無しのエリー：04/10/24 20:10:51 ID:uKigX2uE
とうとう載せやがったな
あそこの管理人の姿勢は嫌いじゃないが、
あほどもの口車に乗せられて載せちまったなみたいだな。

164：名無しのエリー：04/10/24 20:41:09 ID:qwNygh3F

ワラタ

なんかこいつらが騒げば騒ぐ程、滑稽で仕方ないんだけどw

小山田の今のポジション的にはマイナスイメージなんだろーけど

当時はこういう悪ガキっぽいイメージでやってたからなぁ。

まぁ、本人がどういう決着をつけるのか楽しませてもらいます。

165：名無しのエリー：04/10/24 20:45:50 ID:pSK8rjLQ

>>162

アハハハハハッハアアハ、腹いてぇぇぇぇぇぇぇぇぇぇぇ!! >>

小山田さん犯罪者の仲間入りだよ >>

コンクリ高校生と同レベルの精神構造っつーことだね >>

166：名無しのエリー：04/10/24 22:48:10 ID:ZCsCWCFF
音楽にも人格障害っぽい雰囲気が滲み出てるよ・・・
いかにも音楽やらなかったら、廃人か引きこもりになってそうな、箱庭音楽。
外国で受けてるって言っても、どうせ同じようなナード系からでしょ。

167：名無しのエリー：04/10/25 00:43:41 ID:dSTUR1So
おいおい
この先生きのこれるのか？

168：名無しのエリー：04/10/25 00:48:52 ID:Rw8HStHJ
わらわらわいてきやがった

169：名無しのエリー：04/10/25 00:57:38 ID:DrH5H23B
コメントする気も失せるほど、ばかばかしい騒ぎになってきてるのな。。アホクサさて、同じ18代スレッドには、「クソガキどもを糾弾するホームページ」に関連して、さらに注目すべき書き込みが見いだされる。「2ちゃんコピペ」の出典である「ROJ」にとどまらず、「QJ」の「いじめ紀行」をも取り上げてもらってはどうか、という提案だ。

241：名無しのエリー：04/10/26 00:25:10 ID:8F3cpnGq
人増えてきたみたいなんで、改めてお願いします。

〔…〕

どなたか「いじめ紀行」のスキャンをお持ちの方いたら、葵氏にメールして頂けないでしょうか？
くどいようですが、やはりこのクズ人間の息の根を止めるのは障害者ネタしか無いと思うんです。
この件も併せて取り上げて貰えれば、う◯こネタとのコンボでスキャンダラス性は天井知らずですし、スポンサーや団体への通報に際しても、手軽で信頼性の高いソースとして重宝すると思います。

この人間のクズのせいで、人生をメチャクチャにされた被害者の方の無念を晴らしてあげて下さい。


「ROJ」の記事には凄惨ないじめの光景が刻み込まれているものの、対象となったのがどのような生徒なのかはまったく明かされていない。「QJ」の記事の抜粋と組み合わせることで障害者いじめの文脈を導入するなら、小山田の評判は決定的に毀損されるだろう、というわけだ。

この提案は、「クソガキどもを糾弾するホームページ」には届かなかった。以後10年にわたりサーバー移転を繰り返しながら存続したこのアングラサイトは、小山田のページについては内容を更新することのないまま、2014年冬にプロバイダにより削除されたのを最後に姿を消してしまう。

その一方、2ちゃんねるにこの思いつきが記されてからおよそ2年後、あたかもそれに忠実に従うかのように、「ROJ」からの「2ちゃんコピペ」に「QJ」の恣意的な引用を組み合わせたブログ記事がウェブ上に出現していた。アンダーグラウンドなウェブ空間で、断片的で著しく偏った情報摂取に基づき、チェックを受けることのない情動を養分に育まれてきた小山田をめぐる悪質な固定観念は、やがてこのブログを通してさらなる普及を果たすことになって——ついには、２０２１年夏の致命的なインフォデミックを引き起こしてしまう。

４　「小山田圭吾における人間の研究」

２００６年11月10日、「電気熊はアンドロイドの夢を見るか？」と題する楽天ブログに、「小山田圭吾における人間の研究」なるエントリが投稿された。同年10月、自殺した北海道滝川市の小６女子の遺書が公開されていじめを苦にしていたことが明らかとなり、時を同じくして福岡県筑前町で中２男子がいじめ自殺、その後の過剰な報道のため子どもたちの連鎖自殺が相次いでいた時期にあえて投じられたこの記事は、それなりに読まれコメントを付けられていたようだ。２００９年にこのブログははてなに移り（当初は「はてなダイアリー」、のちに「はてなブログ」）、やがて同記事は、「孤立無援のブログ」と名付けられた新ブログに、２００６年11月15日付の記事として転載される。

転載後の同記事は、しばらくはサイバースペースの片隅でひっそりとしていたのだろう。ところが2012年夏、前年に起きた大津市の中2いじめ自殺事件がにわかに衆目を集めるなかで、かつてない大反響を得るに至った。「俺のブログが炎上しててワロタ」と題された同年8月9日のエントリから、ブログ主の感慨を以下に引こう。

冷房のきいたスタバの店内でスマホ片手にカフェラテ飲みながら、やっぱり原発っていらないよねえ、などと知的なおしゃべりしながらコーネリアスを聴きつつ素敵ライフを満喫してらっしゃるスノッブな豚どものところに、うんこだのオナニーだのという「小山田圭吾における人間の研究」が続々とツイートされていく場面を想像すると、胸が熱くなるな。

反原発派への揶揄は、2012年7月に坂本龍一の呼びかけで開催されたイベント「NO NUKES 2012」に、小山田がYMOのサポートメンバーとして出演したことを踏まえている。

以後、このブログ記事は2021年夏の国際的スキャンダルに至るまで、小山田圭吾のいじめ問題に関連して読まれる第一の——そしてほとんど唯一の——資料、「ROJ」1994年1月号と「QJ」第3号（1995年8月）の原典に準じるような何かとして位置づけられてきた。2010年代ともなれば、1990年代半ばの雑誌記事など読んだこともないどころか存在さえ知らなかったという人びとが大半を占める。そうした人びとは、ウェブ上で気軽に読めるこの記事の引用に依拠して小山田圭吾の人間性を判断してきたわけだ。

だが、「孤立無援のブログ」のこの記事においては、90年代のふたつの記事が、今日それらを振り返る際の典拠となりうるようなかたちで適切に要約されているとみなすことは際立って難しい。

まず確認すべきは、この「小山田圭吾における人間の研究」が、2ちゃんねるを主たる培養地として形成されてきたエコーチェンバーで生まれ共有されてきた了解の地平に完全に内属しているということだ。「電気熊」時代の最初のバージョンは、すでに見た「2ちゃんコピペ」の「ROJ」からの引用を、そっくりそのまま掲載することで始まっている（図5参照）。

出典表記を正式名称の「ロッキング・オン・ジャパン」ではなく「ロッキンオン・ジャ

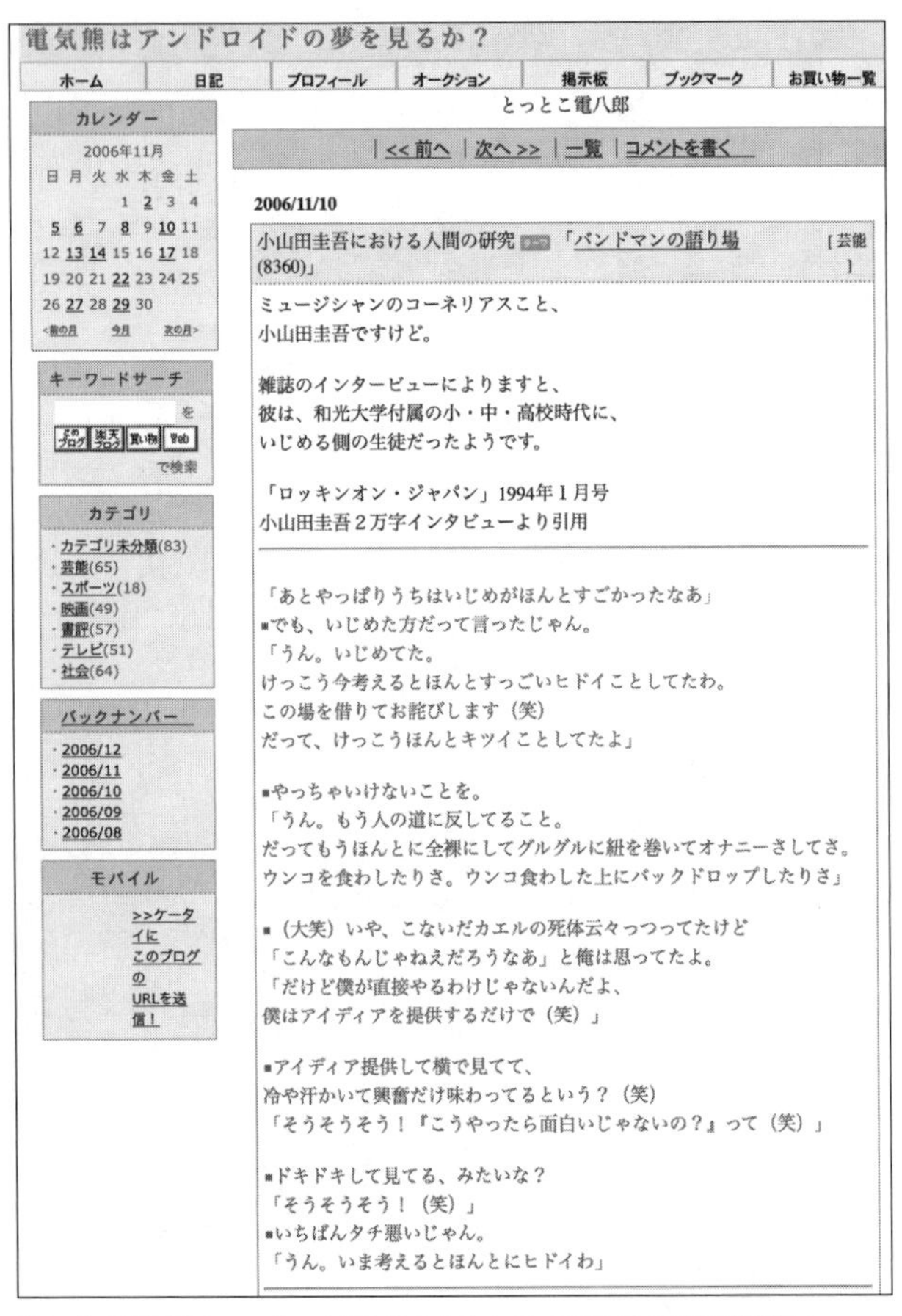

電気熊はアンドロイドの夢を見るか？

ホーム | 日記 | プロフィール | オークション | 掲示板 | ブックマーク | お買い物一覧

とっとこ電八郎

| << 前へ | 次へ >> | 一覧 | コメントを書く

カレンダー
2006年11月

日	月	火	水	木	金	土
			1	2	3	4
5	6	7	8	9	10	11
12	13	14	15	16	17	18
19	20	21	22	23	24	25
26	27	28	29	30		

<前の月 今月 次の月>

キーワードサーチ
を
で検索

カテゴリ
・カテゴリ未分類(83)
・芸能(65)
・スポーツ(18)
・映画(49)
・書評(57)
・テレビ(51)
・社会(64)

バックナンバー
・2006/12
・2006/11
・2006/10
・2006/09
・2006/08

モバイル
>>ケータイにこのブログのURLを送信！

2006/11/10

小山田圭吾における人間の研究 「バンドマンの語り場(8360)」 [芸能]

ミュージシャンのコーネリアスこと、
小山田圭吾ですけど。

雑誌のインタービューによりますと、
彼は、和光大学付属の小・中・高校時代に、
いじめる側の生徒だったようです。

「ロッキンオン・ジャパン」1994年1月号
小山田圭吾2万字インタビューより引用

「あとやっぱりうちはいじめがほんとすごかったなあ」
■でも、いじめた方だって言ったじゃん。
「うん。いじめてた。
けっこう今考えるとほんとすっごいヒドイことしてたわ。
この場を借りてお詫びします（笑）
だって、けっこうほんとキツイことしてたよ」

■やっちゃいけないことを。
「うん。もう人の道に反してること。
だってもうほんとに全裸にしてグルグルに紐を巻いてオナニーさしてさ。
ウンコを食わしたりさ。ウンコ食わした上にバックドロップしたりさ」

■（大笑）いや、こないだカエルの死体云々っつってたけど
「こんなもんじゃねえだろうなあ」と俺は思ってたよ。
「だけど僕が直接やるわけじゃないんだよ、
僕はアイディアを提供するだけで（笑）」

■アイディア提供して横で見てて、
冷や汗かいて興奮だけ味わってるという？（笑）
「そうそうそう！『こうやったら面白いじゃないの？』って（笑）」

■ドキドキして見てる、みたいな？
「そうそうそう！（笑）」
■いちばんタチ悪いじゃん。
「うん。いま考えるとほんとにヒドイわ」

【図5】「電気熊はアンドロイドの夢を見るか？」2006年11月10日記事の
Wayback Machine アーカイブより

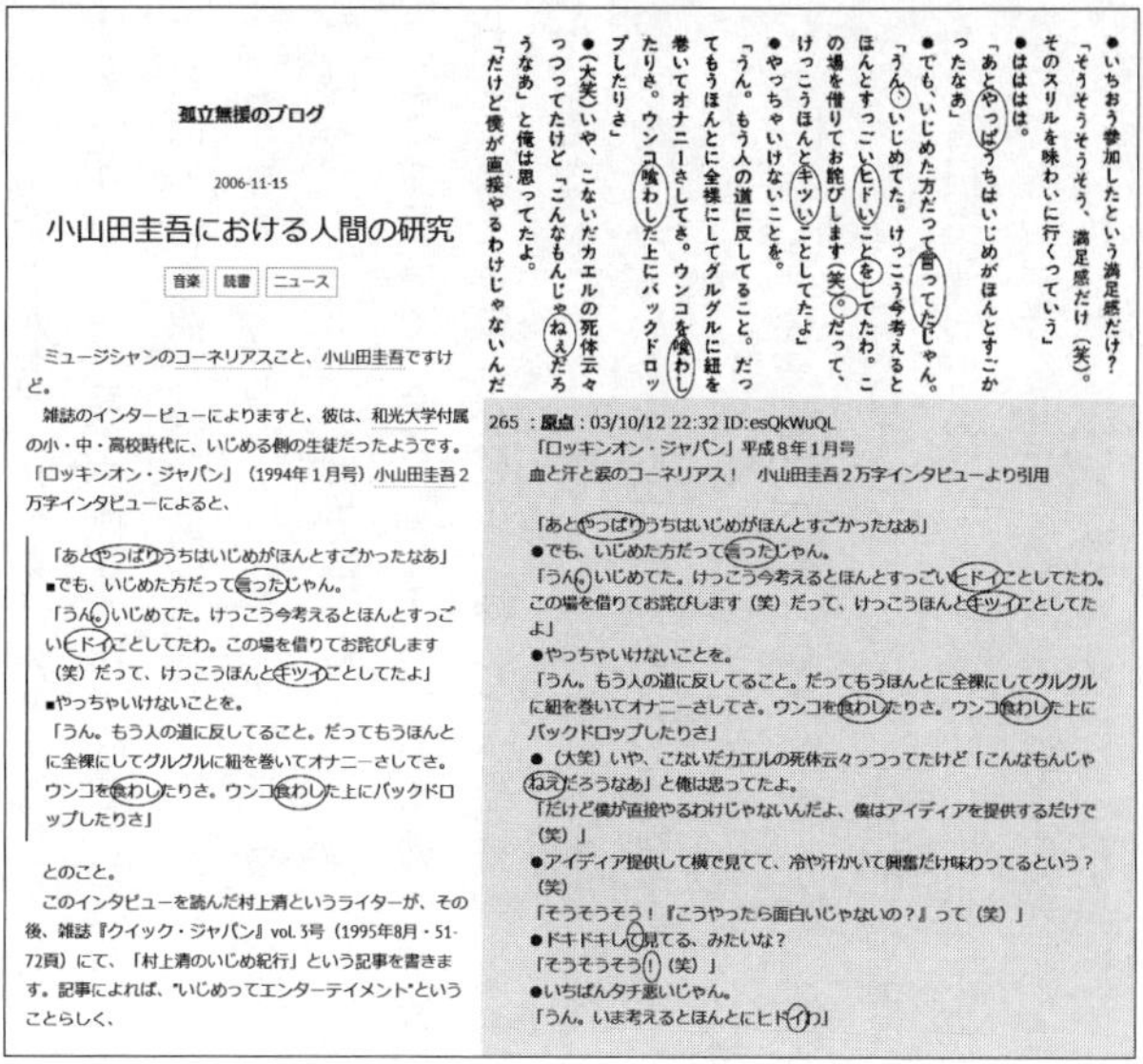

孤立無援のブログ

2006-11-15

小山田圭吾における人間の研究

音楽 読書 ニュース

ミュージシャンのコーネリアスこと、小山田圭吾ですけど。

雑誌のインタービューによりますと、彼は、和光大学付属の小・中・高校時代に、いじめる側の生徒だったようです。「ロッキンオン・ジャパン」（1994年1月号）小山田圭吾2万字インタビューによると、

> 「あとやっぱりうちはいじめがほんとすごかったなあ」
> ■でも、いじめた方だって言ったじゃん。
> 「うん。いじめてた。けっこう今考えるとほんとすっごいヒドイことしてたわ。この場を借りてお詫びします（笑）だって、けっこうほんとキツイことしてたよ」
> ■やっちゃいけないことを。
> 「うん。もう人の道に反してること。だってもうほんとに全裸にしてグルグルに紐を巻いてオナニーさしてさ。ウンコを食わしたりさ。ウンコ食わした上にバックドロップしたりさ」

とのこと。

このインタビューを読んだ村上清というライターが、その後、雑誌『クイック・ジャパン』vol. 3号（1995年8月・51-72頁）にて、「村上清のいじめ紀行」という記事を書きます。記事によれば、"いじめってエンターテイメント"ということらしく、

●いちおう参加したという満足感だけ？
「そうそうそう、満足感だけ（笑）。そのスリルを味わいに行くっていう」
●ははは。
「あとやっぱうちはいじめがほんとすごかったなあ」
●でも、いじめた方だって言ってたじゃん。
「うん、いじめてた。けっこう今考えるとほんとすっごいヒドいことをしてたわ。この場を借りてお詫びします（笑）。だって、けっこうほんとキツいことしてたよ」
●やっちゃいけないことを。
「うん。もう人の道に反してること。だってもうほんとに全裸にしてグルグルに紐を巻いてオナニーさしてさ。ウンコを喰わしたりさ。ウンコ喰わした上にバックドロップしたりさ」
●（大笑）いや、こないだカエルの死体云々つってたけど「こんなもんじゃねぇだろうなあ」と俺は思ってたよ。
「だけど僕が直接やるわけじゃないんだ

265 ：原点：03/10/12 22:32 ID:esQkWuQL
「ロッキンオン・ジャパン」平成8年1月号
血と汗と涙のコーネリアス！　小山田圭吾2万字インタビューより引用

「あとやっぱりうちはいじめがほんとすごかったなあ」
●でも、いじめた方だって言ったじゃん。
「うん。いじめてた。けっこう今考えるとほんとすっごいヒドイことしてたわ。この場を借りてお詫びします（笑）だって、けっこうほんとキツイことしてたよ」
●やっちゃいけないことを。
「うん。もう人の道に反してること。だってもうほんとに全裸にしてグルグルに紐を巻いてオナニーさしてさ。ウンコを食わしたりさ。ウンコ食わした上にバックドロップしたりさ」
●（大笑）いや、こないだカエルの死体云々つってたけど「こんなもんじゃねえだろうなあ」と俺は思ってたよ。
「だけど僕が直接やるわけじゃないんだよ、僕はアイディアを提供するだけで（笑）」
●アイディア提供して横で見てて、冷や汗かいて興奮だけ味わってるという？（笑）
「そうそうそう！『こうやったら面白いじゃないの？』って（笑）」
●ドキドキして見てる、みたいな？
「そうそうそう！（笑）」
●いちばんタチ悪いじゃん。
「うん。いま考えるとほんとにヒドイわ」

【図6】左／「孤立無援のブログ」2006年11月15日記事のWayback Machineアーカイブより。右上／『ロッキング・オン・ジャパン』1994年1月号。右下／「2ちゃんコピペ」最初期の書き込みのひとつ

パン」としている点も同じだけれど（「2ちゃんコピペ」の平成表記を西暦表記にし、「血と汗と涙のコーネリアス！」というタイトルを省略して、●を■にしただけだ）、引用文自体が原典そのままではなく、2ちゃんねるで流布しているバージョンとまったく同じ箇所でまったく同じ不正確さを示しているのだから、雑誌からの手入力ではなくコピペしたものであることは疑いようもない[*2]。「孤立無援のブログ」に転載されてから

も、引用範囲が若干狭められただけで、「コピペ」のコピペが冒頭に掲げられているのには変わりない。この「孤立無援」版と「2ちゃんコピペ」、そして「ROJ」原典を比較すれば一目瞭然だ（図6参照）。

こうして、「2ちゃんコピペ」のコピペによって小山田圭吾の最悪のイメージを提示したのち、このブログ記事は「QJ」の「いじめ紀行」の紹介に移る。

ここで改めて、この「QJ」の記事の内容を振り返っておこう。第3章で見たように、そこではまさに「ROJ」のいじめ発言の主要な部分が否定されていた。排泄物の記述は出てこないし、バックドロップ＝プロレスごっこはしていたものの、自慰強制は先輩の逸脱行動を引きながら見ていたのにとどまる。その一方で、この記事は「ROJ」の発言中にいっさい登場しなかった「沢田君」（仮名）に最大のスペースを割き、しかもそこでは、小学校時代の「毒ガス攻撃」を経たのちの、高校時代の交流が中心的に語られていた。

要するに、「ROJ」と「QJ」を比較検討するなら、前者のショッキングな発言がどうやら根拠薄弱であること、高校時代の小山田が、まったく優等生的な関わり方ではないにしても、学級を共にする障害のある生徒とそれなりによい関係を取り結んでいたことが明らかになってくる。

段ボール箱とかがあって、そん中に沢田を入れて、全部グルグルにガムテープで縛って、空気穴みたいなの開けて(笑)、「おい、沢田、大丈夫か？」とか言うと、「ダイジョブ…」とか言ってんの（笑）そこに黒板消しとかで、「毒ガス攻撃だ！」ってパタパタやって、しばらく放っといたりして、時間経ってくると、何にも反応しなくなったりとかして、「ヤバいね」「どうしようか」とか言って、「じゃ、ここでガムテープだけ外して、部屋の側から見ていよう」って外して見てたら、いきなりバリバリ出てきて、何て言ったのかな…？何かすごく面白いこと言ったんですよ。……超ワケ分かんない、「おかあさ〜ん」とかなんか、そんなこと言ったんですよ（笑）それでみんな大爆笑とかしたりして。

■高校時代

ジャージになると、みんな脱がしてさ、でも、チンポ出すことなんて、別にこいつにとって何でもないことだからさ、チンポ出したままウロウロしているんだけど。だけど、こいつチンポがデッカくてさ、小学校の時からそうなんだけど、高校ぐらいになるともう、さらにデカさが増してさ（笑）女の子とか反応するじゃないですか。だから、みんなわざと脱がしてさ、廊下とか歩かせたりして。

【図7】「小山田圭吾における人間の研究」Wayback Machine アーカイブより

ところが「小山田圭吾における人間の研究」は、「QJ」の記事を一読するや記憶に残らずにはいない「沢田」との交流のエピソードを一顧だにしない。それらすべての代わりに、このブログが小学校時代の行為に続けて引用するのは、性的羞恥心に乏しい「沢田」の性格につけ込んだ集団的な悪戯（いたずら）の光景だ（図7参照）。

こうした行為が悪質であることは間違いない。しかしこの「みんな」の範囲はどのようなものなのか。小山田はそこに入っているのか。上記の引用に直接続く箇所を読んでみよう。

「〔…〕みんなわざと脱がしてさ、廊下とか歩かせたりして。でも、もう僕、個人的には沢田のファンだから、『ちょっとそういうのはないなー』って思ってたのね。……って言うか、笑ってたんだけど、ちょっと引いてる部分もあったって言うか、そういうのやるのは、たいがい珍しい奴って言うか、外から来た奴とかだから」

（「ＱＪ」第３号、59頁）

「みんな」とは小山田の周囲の生徒たちであって、しかも最後の一文を読むなら、そうしたことを中心になって行うのは、この学園に高校から入ってきた新参者だという。幼稚園から小・中・高と障害のある児童・生徒と身近に関わりながら過ごすなか、多くの和光生はこうした生徒との適切な関わり方を身に付けていくからだろう。それでも、新参者が行う悪質なからかいが周囲の笑いを誘うことはあったのだろうし、小山田も、そんなことはやめるべきだと内心思いつつも、笑いの輪をかき乱すような振る舞いをする生徒ではなかったようだ。

こうした述懐を受けて、むしろ笑いの輪を断ち切り、問題をクラスで議論するよう提案すべきではなかったかと疑問を抱く向きもあるだろうし、おそらくそれは正当な問いかけだろう。それでもやはり、「ちょっとそういうのはないなー」と思いながら引いて見ていたというくだりを省略してしまい、主体的に加担していた印象を読者に与えるような引用を行うことの不誠実もまた、明らかというほかない。

小山田が高校で席が隣になったのを機に「沢田」と仲良くなったこと、鼻炎で鼻を垂らしポケットティッシュでは間に合わなくなる彼を気にかけて箱ティッシュを渡したこと、学習障害を持つこの同級生がその一方で時に示す才能に驚かされたこと、そんな彼の内的世界に興味を抱きさまざまに問いかけたこと、そうしたやり取りの続きを期待して久しぶりの再会を望んだこと――こうした意義深いエピソードのいっさいを省略し、文脈から断ち切られた問題含みの引用を連ねることによって、このブログ記事は高校時代の小山田が、小学校時代の「毒ガス攻撃」の延長線上で、「沢田」と関わっていたかのような印象を読者に与えてしまう。

いやそればかりか、この記事では小学校時代の行為についてさえ、実態以上に悪質な印象が醸し出される結果となっている。当時の悪ふざけの一部は「いじめ」と呼ぶこともできるのかもしれないし、それ自体ではさほど深刻なものではなかったとしても、状況次第ではより悪質で執拗な加害へと道を開きかねないものだったかもしれない。しかし実際にはそうはならなかったのであって、だからこそふたりは、没交渉の中学校時代を経て、高校時代にはそれなりに良好な関係を築くことができた。ところが「小山田圭吾における人間の研究」ではこの「毒ガス攻撃」のエピソードは、高校時代の悪辣な行為（ブログ主の悪意ある引用によって、「ＱＪ」原典を未読の読者は小山田が主体的に関わったものとして受け取らざるをえない）の直前に置かれることで、現実とは異なる意味を付与されてしまう。読者はこの小学校時代のエピソードを、高校時代の価値ある交流の、いくらか問題含みの始まりとしてではなく、中学・高校と続く小山田の悪行の、禍々しい第一歩として理解するよう誘導されるのだ。

「ＱＪ」原典を読んだことがあれば、このような印象操作には多少とも違和感を覚えずにはいられないだろう。実際、「電気熊」時代のコメント欄を見ると、ある「通りがかり」の読者が「このブログでの引用の仕方はどうもアンフェアなように感じます」と疑問を投げかけているのが目にとまる（２００７年7月14日）。ブログ主の応答は、「引用の仕方こそ批評である」（２００７年7月15日）というものだ。たしかに「批評／批判 critique」とは、篩（ふるい）にかけ、良いものと悪いものを見分ける判断を意味する古代ギリシア語クリネインに由来するのだから、引用それ自体がすぐれて批評的行為であるのは間違いない。

問題は、この読者の疑念がまったく正当であること、「小山田圭吾における人間の研究」が、「ＱＪ」の記事の読みどころを完全に捉え損ね、そこから浮かび上がってくる学校生活の情景を顕著に歪めずにはいない一連の引用から成り立っていることだ。この記事の引用作法は、ブログ主がきわめて質の低い、いやむしろ悪質な批評家であるという事実を明白に示している。

先ほども確認したように、「QJ」の記事は「ROJ」の記事と真剣に比較検討するなら、後者が数行のうちに凝縮している禍々しさの印象を打ち消し、少なくともかなりの程度緩和する内容となっている。「QJ」を真に受けるなら、「ROJ」のいじめ発言（＝「2ちゃんコピペ」）はほとんど事実とみなすことができなくなってしまうのだし、「QJ」自体には深刻な犯罪性を認めるべき要素は存在しないと言える。

それでも、第3章で指摘したように、たしかに「QJ」の記事は、問題含みで配慮を欠いた発言には事欠かない。したがって、この記事が「ROJ」のいじめ発言の内容を打ち消している事実を棚上げにするという条件のもとであれば、そこから「ROJ」をもとにした「2ちゃんコピペ」を補完し、このコピペの極悪な印象をさらに増強させるような材料を拾い上げることはできるだろう。それこそがまさに、「孤立無援のブログ」が行っている操作にほかならない。

このような操作が可能になるのは、ブログ主が――「2ちゃんコピペ」をそのままコピぺしていることから明らかなように——2ちゃんねるや「クソガキどもを糾弾するホームページ」といったアンダーグラウンドなウェブ空間で小山田をめぐる情報を入手し、そこで形成されてきたエコーチェンバーの内部に身を置くことで、深い先入観のもとに「QJ」の記事に接したからだと考えることができる。

「ROJ」からの引用を「コピペ」のコピペで済ませる一方で、「孤立無援のブログ」のブログ主は「QJ」の記事を実際に入手して読んだのだと思われる。そうであるなら、そのことを契機として、エコーチェンバーの内部で増幅され強化されてきた歪曲的な小山田像を修正するような記事を書くこともできたはずだ。けれどもそうはならなかった。

ブログ主は「QJ」の記事を、「2ちゃんコピペ」の禍々しさをさらに増幅させようという目的を果たすために読んだにすぎないからだろう。だからこそ、そもそも「QJ」での小山田が当の「コピペ」の内容を著しく——ただし暗黙裡に——訂正している事実に気づくこともなく（あるいは気づかないふりをし）、障害のある生徒たちとの意義深い交流の回想に心動かされることもなく、「ROJ」の不正確な引用である「2ちゃんコピペ」と「QJ」という、内容を吟味するなら相容れないはずのふたつを無頓着に結びつけることができたのだと思う。

5 「孤立無援のブログ」はなぜインフォデミックの決定的要因となったか

したがって、「小山田圭吾における人間の研究」は、批評的吟味という観点からはまったくお話にならない代物にすぎない。にもかかわらずこのブログ記事は、全面的に2ちゃんねる発の偏見のなかに身を置き、匿名掲示板のエコーチェンバーで形成された犯罪者的小山田像をそのまま記事化していながら、オーバーグラウンドなウェブ空間から――それもしばしば「ブログ論壇」を構成するものとされ一般のブログとは別格の扱いを受けがちだったはてなのコミュニティから――発信されたことで、実に多くの人びとに、準拠可能な参照源として利用されるに至った。

この事実は、当該記事の反響がこのブログ自体の人気を背景にしていたとか、ブログ主に読者の関心を惹き寄せる巧みな文章力があったといったことをいささかも意味しない。実際、「孤立無援のブログ」はこれまで、さまざまな世の通説に逆らい、諸分野の著名人の名声を汚辱に塗（まみ）れさせようと努めてきたものの、「小山田圭吾における人間の研究」を驚異的な例外として、目ぼしい成果を挙げた様子はない。

このブログが呉智英の影響下にあえて今日の中国を「支那」と呼称しても誰も従わなか

ったし（２００８年８月15日）、「ビートルズはたいしたことなかった」（２０１３年11月22日）、「ＹＭＯはたいしたことなかった」（２０１３年11月20日）という異論が音楽史上の常識の再検討の気運を盛り上げたこともなさそうだ。小山田の記事が改めて爆発的な反響を集める少し前、オリンピック開会式の演出問題に関連して投稿された「渡辺直美はブタだった」という「悲報」（２０２１年３月23日）が、気の利いた皮肉としてどこかで喝采を浴びた気配もない。

このブログの書きぶりの見本として、ここでは２０１０年11月13日付の記事「思い出の綿矢りさ」を挙げておこう。２００４年の芥川賞同時受賞以後、若い女性作家として比較されがちだった金原ひとみと綿矢りさを論じたこの記事では、まずは前者について、「売れるためには不倫も堕胎も自殺未遂もするし、わが子を虐待したりも」するという「女流作家」の系譜に属するものとして、その「したたか」さにうわべだけの称賛が送られたのち、そうしたしたたかさを欠いているとブログ主が判断する後者について、作家生命の速やかな終焉（しゅうえん）が予言されている。

彼女から若さとかわいらしさをのぞけば、何もないことは、たいていの人が気づいていた。若くてかわいい女の子が小説を書いたから売れただけで、こういう作家の宿命として、今後も文学的な興味で読まれることはあるまい。

おそらく彼女はかつての栄光を胸に、これから長すぎる余生を、世間の片隅でひっそりと生きていくのであろう。

10年が経ち、ふたりが実力ある作家としての地位を確立した今日から振り返って見るならなおのこと、脆弱（ぜいじゃく）な批評眼と上滑りする皮肉という、このブログの基調をなす特徴がよくうかがえる投稿だと思う。

「孤立無援のブログ」がいかなるブログかについて若干の紹介を試みたのは、「小山田圭吾における人間の研究」の途方もない成功に、このブログの評判やブログ主の実力といったものがほとんど関わっていないことを確認するためだ。この記事はただ、冒頭にコピペされた「2ちゃんコピペ」の禍々しさによって読者の関心を一気に引き込み（もちろんこれは、若干の字句が原典通りではないとはいえ、「ＲＯＪ」１９９４年1月号の記事のほぼ忠実な抜粋なのであって、山崎洋一郎の編集手腕を通して精製されたセンセーショナルな言葉の起爆力が四半世紀後にも力を失っていないことの証だと言える）、その圧倒的な悪印象のあとに畳み掛けるようにして「ＱＪ」からの問題含みの引用を連ねることによって、匿名掲示板のエコーチェンバー内部で共有された極度に歪曲的な小山田観をそのまま外部に伝えたにすぎない。ブログ主に必要だったのは、不見識や迂闊（うかつ）さと混じり合った一種の大胆さだけだったように思われる。

2ちゃんねる邦楽板の18代コーネリアススレッドに書き込まれた、「クソガキどもを糾弾するホームページ」管理人に対する要望をもう一度引こう。そこでは、「2ちゃんコピペ」の元になった「ＲＯＪ」だけでなく、障害者いじめという文脈が明示された「ＱＪ」も取り上げてもらいたいという提案がなされたのち、そこから期待できる効果がこのように述べられていた。

この件も併せて取り上げて貰えれば、う○こネタとのコンボでスキャンダラス性は天井知らずですし、スポンサーや団体への通報に際しても、手軽で信頼性の高いソースとして重宝すると思います。

とはいえ、実のところ、紛れもない違法性を伴ったアングラサイト「クソガキどもを糾弾するホームページ」はもちろん、2ちゃんねる/5ちゃんねる、そしてそのスレッドを外部に広める「痛いニュース」や「アルファルファモザイク」といった「まとめサイト」または「まとめブログ」以外の情報源が見当たらないのであれば、著名人やSNSの「インフルエンサー」をはじめ多くの人びとは、仮にそれらのサイトの情報を見て何らかの感想を持ったとしても、少なくとも公共的な言論空間では口をつぐんだに違いない。ところが同じ人びとは、はてなダイアリー/はてなブログを根拠にしてであれば、小山田について公に論評してもよいと信じることができたのだった。

例えば、第1章第3節で取り上げた反自公政権・反オリンピックのツイッターアカウント「はるみ」は、「小山田さんは検索して2分でアカンやつだと分かった」(2021年7月20日)のだという。けれども、5ちゃんねるのまとめサイトしか見つからなかったのであれば、批判的吟味抜きのこの速度で小山田の人物像を決めつけるのは手控えたことだろう。

また、やはり反自公政権・反オリンピックの立場から風刺漫画を発表してきたぼうごなつこの発言を取り上げてみよう。この漫画家は、今回の炎上を機に小山田について、ツイッターで公開した漫画のなかで次のように書いていた。*3

障がいを持つ同級生を長年に渡り、執拗に虐待し続け、音楽雑誌などに「武勇伝」として披露していた音楽家・小山田圭吾

そんなぼうごは、「孤立無援のブログ」をシェアして途方もない反響を得ることになった、第1章第3節に引いた「はるみ」のツイート（2021年7月15日）にリプライをつけ、「数年前に記事を読んで以来、小山田何某（なにがし）の名前を見るだけで気持ち悪くなるくらいのトラウマ」（2021年7月15日）を抱えてきたと訴えている。しかし、ここで読んだと言われている「記事」はやはり、「小山田圭吾における人間の研究」なのだ。ぼうごもまた、5ちゃんねるのスレッドだけが情報源であれば、ツイートで言及するようなことはなかったろうと思われる（付け加えて言うなら、Wayback Machine で見ることができるぼうごの漫画の最初のバージョンには、手に排泄物を載せて薄笑いを浮かべる小山田が描かれており、「小山田圭吾における人間の研究」の強烈なインパクトの核心は、なんといっても冒頭に掲げられた、「ROJ」に基づく「2ちゃんコピペ」のコピペにあったことが改めて理解できる）。

そして、その「はるみ」のツイートを「炎上の発端」として記事化した「毎日新聞」。

第1章第3節でも簡単に触れたけれど、山下智恵記者によるこの記事は、「ツイートが『いじめ自慢』の根拠としているのは、『ロッキング・オン・ジャパン』（1994年1月号）と『クイック・ジャパン』（95年3号）に掲載されたインタビュー記事2本」としている。「はるみ」は実際には「孤立無援のブログ」の記事を読んだだけなのだから、これは事実の正確な記述とは言いがたい。だからこそ山下記者は、少なくとも「QJ」については原典のコピーを入手し、[*4]「はるみ」の代わりに確認作業を行って、そのツイートが両誌を実際に読んだのと同等の意義を持つことを裏付けようとしたのだろう。

問題は、山下がおそらく、「孤立無援のブログ」の引用がたしかに「QJ」に記載されているかどうかを確認したにとどまり、それ以上に記事内容を吟味する手間をかけなかったに違いないということだ。実際、「小山田さんが通っていた私立小学校から高校で、障害者とみられる同級生2人をいじめていたと明かしたとされていた」という記述自体が正確さを欠いている（高校時代のいじめの記述は「QJ」には見いだせない）。

しかしそれにもまして、「QJ」で明確に述べられている「いじめ」の内容（それは今回の騒動後の「週刊文春」インタビューや「お詫びと経緯説明」で繰り返されているのと同じものだ）を確認し、しかも高校で同じクラスになってからの「沢田」との交流の記述を読んでなお、

「壮絶ないじめ」「いじめというより犯罪」という「はるみ」のツイートが事実に適っていると、山下は考えたのだろうかという疑問が生じる。そこまでの読解力の欠如を想定するよりは、別の想定のほうが現実味があるだろう。つまり山下は最初から、「小山田圭吾における人間の研究」とそれを読んだ「はるみ」の感想によって与えられた枠組みを追認する以上のことをする気はなく、だからそもそも「ＱＪ」の記事を――すべてのページに目を通したのだとしても――決して丁寧には読まなかったのだ。

今日の米国で、「情報ロンダリング」と呼ばれる現象がある。風刺ニュース番組『ザ・デイリー・ショー』の司会として知られるジョン・スチュアートによると、それは「フェイクニュースやその他の、未検証のソースに基づくニュースが、次第に主流メディアで報じられるようになること」を意味する。「二次的な報道は実にありふれていて、たいていはソースを真面目に検証することもなくなされているために、相対的に見て信頼の置ける報道機関でさえ、信憑性の不確かなブログやプラットフォームが書いたものを根拠に報道してしまいがち」なのだという（Annalisa Merelli, "Jon Stewart: The American media has become an 'information-laundering scheme'," Quartz, December 1, 2016）。

山下は、一応はブログ記事だけに依拠するのではなく90年代の雑誌記事それ自体を（少なくとも2誌のうち1誌は）入手しながらも、「孤立無援のブログ」の引用の正当性を検証する作業を怠り、そのため結局、2ちゃんねる由来の顕著に歪曲的な小山田像をそのまま大手新聞に掲載するという情報ロンダリングの遂行者となってしまった。

しかしそんな山下も、もしも「はるみ」のツイートが5ちゃんねるのスレッドやまとめサイトをシェアしながら著名ミュージシャンのおぞましい過去を云々していたのだったなら、もっとずっと警戒して確認作業に当たったろうと思われる。いやそもそも、新聞記事にできるとは思わなかったのではないだろうか。そして「はるみ」自身、すでに触れたように、検索してはてなブログが出てきたからこそ、記事内容をただちに――「2分」で――そのまま飲み込んでツイートすることができたのであって、例えば「痛いニュース」をシェアして同じ趣旨のツイートをする気になったとは考えがたい。

ところが実際には、「2ちゃんコピペ」のコピペから始まる「小山田圭吾における人間の研究」は、2000年代の2ちゃんねるで形成されてきた小山田像をそのままオーバーグラウンドに持ち出すものでしかなかった。それなのに、単にそこからアングラ的印象を消し去り、公共的な議論の場でも参照可能なブログサービスを通して発信しただけで、「孤立無援のブログ」のこの記事は、少なくとも2012年夏以降10年近くにわたり、世界的ミュージシャンの不穏当な過去をめぐる多少とも信頼できる――ウェブ上での論評のさしあたりの根拠とすることができる――情報源として機能し続けることができた。

小山田圭吾がオリンピック・パラリンピック開会式の作曲担当であることが発表されるや、ただちに懸念がつぶやかれ始め、間もなく途方もない規模の告発にまで膨れ上がって、「毎日新聞」が記事化するに至ったのは、このブログ記事なくしてはまったく考えられない展開だった。匿名掲示板の正義がそのまま全国紙の正義となり、そこからさらには地上波テレビへ、国際報道へと、[*5] 問題含みの情報伝達が広がりをみせた今回のインフォデミックの決定的要因としては、なにより「孤立無援のブログ」の存在を挙げなければならない。[*6]

6 「中間的存在」と「首をかしげたような感じ」

そうしたわけで、このブログの果たした役割は、2ちゃんねる/5ちゃんねるの「まとめサイト」と実質的には同じ内容の記事を、インフルエンサーたちが公共的な意見表明を行う際のさしあたりの典拠となりうるような枠組みのなかに流し込んだ、というものに尽きる。だからこそ、有志による引用の検証が説得力を発揮して以来、かつて誰もがウェブ上の論評の典拠として参照してきた事実が嘘のように、このブログはほとんど誰にも顧みられることがなくなってしまった。

それでもわたしとしては、本書を終えるにあたって、同ブログが信用を失って以後の投稿のひとつを取り上げることにしたい。「パロディを理解するには教養が必要」と題されたこの記事（２０２１年10月12日）によると、「小山田圭吾における人間の研究」は、三木清の有名なデビュー作、『パスカルにおける人間の研究』（１９２６年）を踏まえているだけではなく、その著者を作中人物とする今日出海（こんひでみ）の小説、「三木清における人間の研究」（初出は「新潮」１９５０年２月号）を念頭に書かれたのだという。

三木清は治安維持法の容疑者をかくまったという嫌疑で特高警察によって検挙・拘留され、終戦直後に獄死した。

こんな教科書的な知識では、ぜんぜん足りない。高潔な思想家である三木清の卑劣な人間性を暴露し、徹底的な批判を加えたのが今日出海の『三木清における人間の研究』である。

日本政治思想史とそのゴシップにまで通じている者がこれを書いている。

わたしはこのことを知り、今の作品を入手し読んでみたのだけれど——、率直に言って、それほど衝撃的な暴露がなされているとも思えないし、こんなものをわざわざ発表してしまう作家の内面にある不穏な何かのほうが、かえって気にならないでもなかった。同時代にそれを読んだ鶴見俊輔も、このように読後感をつづっている。「今氏のように、フランス風のしゃだつな教養人が三木のようなはずれの人に会うと、憎しみをあらわにすることに興味をもった」(「三木清のひとりの読者として」、『鶴見俊輔著作集』第5巻、筑摩書房、1976年)

かなり不毛な印象を残すこの作品が、ひととき文壇と論壇を騒がせたとはいえ、その後の三木清をめぐる世評に深い影響を与えることもなく忘れ去られてしまった一因は、そこに暴露的情熱をもって報告されている事柄が、三木自身が著作で述べている事柄と、深刻な齟齬を来たしてはいないという点にあるように思う。

谷川徹三は——京都帝国大学時代からの三木の友人であることに加え、ここでは、その息子で詩人の谷川俊太郎が、和光時代の少年小山田と出会い、のちに再会して共同作業を行うようになったことを強調しておこう(「小山田圭吾と中村勇吾が谷川俊太郎を想う。長い人生どう生きる?」、CINRA、2018年2月8日)——、まずは今が描き出す三木の人物像の一面性を指摘する。「数々の人間的美徳がその粗野や不器用の中に隠されていたこと」を、自分は知っているというのだ。しかし一面的であることは必ずしも、まったくの偽りであることを意味しない。実際谷川も、「『三木清における人間の研究』における彼を、彼でないものとは私は思わない」と認め、そのうえで以下の重要な指摘を行っている。

それはすでにいった三木の中にある原始の闇に通ずるもので、仏教的にいえば業といってもいい。三木は業の深い男であった。彼は自分が「煩悩具足の凡夫」であることを自身誰よりも身に泌(し)みて感じていたであろう。それが三木を不断に哲学的思弁に促す当のものとなったのだが、親鸞(しんらん)の教義に彼をますます近づけていったものともなったのである。

（「三木清」〈初出1955年〉、『人・文化・宗教』日本経済新聞社、1964年）

三木が若い頃から禅の高踏性よりも浄土真宗の平民性に心惹かれ、未完の「親鸞」を絶筆としたことはよく知られている。そして、自分自身を筆頭に、純粋な高潔さを貫くことができない人間のありのままを見据えようとするこの姿勢は、最初の著作『パスカルにおける人間の研究』以来、彼の哲学的探究の基調をなしてきたと言えるだろう。「我々の誰が偽善的でないであろうか。虚栄は人間の存在の一般的性質である」（「偽善について」、『人生論ノート』）等々。

要するに、「孤立無援のブログ」のブログ主が信じているのとは異なり、三木清の人と作品に——弾圧の犠牲者としての素朴な偶像視から距離を置いて——関心を抱く者にとって、彼はそもそも決して、「高潔な思想家」として思い描かれるような人物ではなかった。むしろ、「中間的存在」として絶えざる不安のなかを生きる人間のありのままを注視する哲学者として、三木は今日に至るまで読みつがれてきたのだ。『パスカルにおける人間の研究』では、この不安定な中間状態のため、人間とは自らの存在をめぐり、つねに問いを投げかけるものとして定義されている。

かくして人間の存在はとくに問わるべき存在である。「人間とはいったい如何(いか)なる奇獣であるか。如何なる新柄、如何なる怪物、如何なる渾沌(こんとん)、如何なる矛盾の者、如何なる非凡の者であるかよ。すべてのものの裁判官、愚かな蚯蚓(みみず)。真理の受託者、曖昧と誤謬(ごびゅう)との塵捨場(ちりすてば)。宇宙の栄誉にして屑物(くずもの)。」(434) とパスカルは叫ぶ。

（岩波文庫、１９８０年）

もちろん、こうして人間存在のありのままを見据えることがまずは必要であるということは、このありのままにつねに居直っていてよいということを意味しない。『パスカルにおける人間の研究』ではそのことが、所与としての「中間」から「正しき中間」へと至るという課題として定式化されている。

中間者としての人間が「正しき中間」（le juste milieu, 82）を、すなわち安定ある均衡を得ることは、彼にとって所与でなくかえって課題である。（同前）

こうして三木の思想をごく簡単に取り上げてみたのは、小山田圭吾のソロデビュー以後数年間、つまり今日の大騒動を招いた発言がなされたまさにその時期の言動から、近年の落ち着いた境地に至る道のりを思い、この変化に言葉を与えようと試みるときのヒントが、そこに見いだされるように感じられるからだ。

実際、フリッパーズ・ギターを解散し、ソロアーティストとしてのイメージづくりを模索するなかで、小山田は繰り返し、問いかける存在としての自らを強調していた。正論を疑い、問いを投げかけながらも、そのようにして問いを投げかける存在としての自分の正しさをも疑うという不安定な境遇にとどまること。ファーストアルバム『The First Question Award』完成を控えた「ROJ」1994年1月号の記事で、彼は当然いじめ発言以外の多くの事柄を語っていたわけだけれど、レコーディング現場で表明していたのはこのような姿勢だ。

「そういうことを言ってる自分〔…〕をまたさらに僕は後ろで見てて『おまえの言ってることも、そんなの正しいの?』なんて言ってるんだと思うんだけどさ(笑)。だから、たぶん『クエスション・アワード』なんだと思うんだ」(55頁)

続く同誌2月号では、同様の事柄が、白から黒へ、そしてまた白へといった両極の行き交いではなく、灰色に向かおうという提案として語られている。

「単純にカウンターであればいいかっていうとさ、白・黒・白・黒みたくなってっちゃう状態って全然進歩ないし。〔…〕やっぱ白の味を知った人間がさ（笑）、そういうものを踏まえつつ進んでいくような感じがいいんじゃないかなあっていう。白・黒・灰色！　みたいな（笑）」（111頁）

このような主張は、1980年代から1990年代への転換をどのように生きるかという時代状況との関わりでなされていた。「月刊カドカワ」1994年3月号の「〈スピリチュアル・メッセージ〉僕の居るべき場所を探して」から関連発言を引いておこう。

世の中の流れ的なことを言っちゃえば、いまはもう八〇年代がすっかり終わって、九〇年代気分が花開こうとしている時代で、その中でひとり愚痴言ってるような感じっていうか、そういうところって、多分にあるような気がする。なんか頭がバチッと切り替わっちゃって、九〇年代気分バチッみたいな感じには、ぼくはどうしてもなれないっていうか。それに対する強い反抗っていうわけでもなくて、首をかしげている状態というか、『ファースト・クエスチョン・アワード』っていう感じで。首をかしげたような感じが全体にただよってて、それを象徴するタイトルっていうか。〔…〕

ぼくは超疑り深いから、でっかいこと言ってる奴がいると、「本当かよ」とか言って、足引っ張ることしか考えない（笑）。と言いつつ、自分はもうこのへんまでドップリ浸かってるんだけど（笑）。（179―180頁）

この「首をかしげたような感じ」、正論を半ば受け入れつつも疑問を投げかけるような曖昧な感覚は、「QJ」第3号での小山田の発言の基本的な調子となっているように思われる。そこには、今日の彼が誠実に振り返るように（「お詫びと経緯説明」）、単なる「軽率」さや「無神経」さを帰結させている部分が多々見受けられることは事実だ。それでも、すでに見てきたように、ここに認められる感覚の全体を、愚かな過ちのようにみなすことはできないだろう。むしろ小山田圭吾という芸術家の――あるいは三木清が引くパスカルが言うように、宇宙の「屑物」でもあれば「栄誉」でもある人間一般の――最も輝かしく心打つ部分もまた、まさにこの記事のなかに見つけることができるからだ。

しかも「QJ」のこの記事を通してわたしたちは、小山田のファーストソロアルバムのタイトルの発想源の少なくともひとつが、和光学園時代の経験にあったらしいことを教えられる。幼少期の感電事故が原因で「体の半分ブワ～っとケロイドみたくなっちゃって」

いたという「犬川君」(仮名)は、「オレは感電してバカになった」という本人の発言からしても軽度の知的障害があったのだろうけれど(ただし小山田によるとのちに「マトモ」になり、「あの頃の俺は俺じゃない」と言うようになったのだそうだ)、そんな彼との交流が、そこでは以下のように語られている。

「いつも学校にすげー早く来てて、校門の前にいるんですよ。それでみんなが通学してくると、いきなり寄って来て『問題を出す』とか言って(笑)。答えられないような、すっごい難しい問題を出してくるんですよ。ホント、禅問答みたいな問題を出してくるの。『赤と緑、どっちが黄色?』とか、そんな問題を出してくるのね。『えー』とか言って、『何言ってんだよ』とか言ってね。なんか適当に答えたりすると『ブー』とか言ってね、ツバかけてくんの(笑)。そうそう、スフィンクスみたいなの。で、ツバをペッ! ってかけてくんの。俺とか先輩だから『ふざけんなよ!』とか言って、バ〜ンとか蹴っ飛ばしたりするんだけど。全然、バ〜ンとかブッ倒れてもへこたれないの。またフラフラ〜ッと次の獲物に行って、『問題を出す』とか言って(笑)」(66頁)

第3章第5節で言及した床山すずり「障害者きょうだいから見る小山田圭吾」は、この「犬川」との交流を最後に取り上げ、「異質」な相手に対する「垣根のなさ」という小山田の資質を指摘している。

犬川くんは、文字から想像するに、見た目も挙動もあまり「普通」ではない人だとわかる。朝登校すると、その犬川くんがよくわからない問題を出すために「いきなり」間合いを詰めて寄ってくるのだ。この状況、どうだろうか。ほとんどの人は急ぎ足で避けて通りかねないと私は思う。

しかし小山田は、無視することなく、腫れ物に触るでもなく、出された問題に適当に答え、ツバを吐きかけられ、仕返しに蹴っ飛ばしたりしている。乱暴、酷いという声もあるかもしれないが、私には、蹴っ飛ばしているところも含めて、この2人の関係はとても健全に見える。相手に興味を持って接し、やられたらやり返す。これ、ふつうの子ども同士の関係ではないか？「ちょっと変わった人」に対してこのように接することができる小山田を、「酷い人」とくくって片付けることは私にはできない。

まったくその通りだと思う。ここで補足したいのは、小山田が「犬川」とのこの問答を振り返りながら、次のように続けていたことだ。「ホント、質問大賞はアイツなんですよ。ホントに質問大賞なんですよ」（67頁）。最初のソロアルバムに『ファースト・クエスチョン・アワード』と名付けるときに、小山田は第一に「犬川」のことを考えていたのだろうか。そうかもしれないけれど、わからない。

それでも少なくとも、「第一回質問大賞」とでも訳すことができるこのタイトルを反芻しながら、小山田の脳裏に、校門の前で不可思議な問いを突きつけてくるこの学友の姿が、折りに触れ浮かんでいたことはたしかだろう。学校時代の思い出は、こうして、ソロデビュー前後の模索の日々と混ざり合い、浸透して、コーネリアスとしての新たな出発を支えていたように思われる。[*7]

そんな学校時代の回想の一部が無残に切り取られ、匿名掲示板に集う人びとによる悪意に満ちた拡散の果て、際立って恣意的なあるブログ記事が不当な信頼を得たことで、小山田圭吾の歪曲的な人物像が広範囲にわたり共有されるに至った。本章で追跡してきたこうした21世紀の展開に先立っては、そもそもは本人の自己イメージの不器用な模索があり、小山田の仕事を情熱的に評価する音楽ジャーナリストによる善意と熱意の、とはいえ本人の思いに無頓着な「人格プロデュース」があり、さらには、より社会的な背景として第4章で検討したように、「いじめ」を学校生活の最大の問題として捉え、このカテゴリーに収められるすべてを死を招く悪行とみなす問題含みの通念のうちに、社会全体が囚われてしまうという歴史的展開があった。

２０２１年夏の出来事は、大枠ではインフォデミックと言うべき、誤情報の途方もない拡散の帰結だった。そこに至る過程に関し、小山田本人がいくばくかの責任を負うべきことはたしかだ。けれども、学校時代に彼が実際にやったことの程度を見定め、１９９０年代の発言の文脈を理解し、21世紀に匿名掲示板発の偏向的・歪曲的な正義がそのまま全国紙の正義となるに至った経緯を跡づけるなら、今日の彼は不当に過ぎる重荷を担わされていると言うほかない。

本書は、そのことを切実に危惧し、心を痛め、この認識と思いを幅広い読者と共有しようと願う著者によって書かれた。とはいえ、最後に付け加えておくなら、調査と執筆の日々は単に苦しみばかりに満ちていたのではない。この機会に改めて——多くは初めて——若い頃の小山田の発言に触れて驚いたのは、その正直な語り口だ。この正直さはたしかに、時に読む者を苛立たせる軽率さと軽薄さという一面を持つ。けれどもそこには同時に、自らが抱えるさまざまな意味での不安定さに誠実であろうとする意識が感じられる。

本書が検証してきたように、今回の騒動後に小山田がインタビューや書面で行った経緯の説明は、ほとんどすべてが90年代当時にすでに言われていたものだ。20代の若者の軽薄そうな語り口が影を潜めただけで、そこには事後の取り繕いの要素がほとんど存在しない。もちろんこのように書くからといって、小山田が「お詫びと経緯説明」で強調する人間的成長を否定するつもりはない。そうした成長の事実とまったく矛盾しない、人間性のより深いところで、四半世紀の時を挟んでここまでの一貫性を保つ小山田圭吾という音楽家をわたしは再発見し、その嘘のない人となりを垣間見ることができた。

その意味で、不幸でもあれば不当でもある今回の大騒動は、本書を著したわたしにとっては、小山田圭吾との喜ばしい出会いなおしの契機ともなった。これまで小山田の音楽を愛してきた多くの人びとが、胸が塞がるような思いの一方で、同じ出会いなおしを経験しているように思う。こうした出会いなおし、あるいは初めての出会いが、これからも重ねられていくことを願う。わたしたちの惑星はまだこれからも、コーネリアスの音楽を必要としている。

おわりに

第5章で言及したように、2021年夏の大炎上のきっかけとなったツイートの主は、「小山田さんは検索して2分でアカンやつだと分かった」と書いています。小山田圭吾氏にふと関心を抱いたひとは誰でも、「2分で」最低最悪の人物像を信じ込まされるような状況が、おそらく2012年夏に問題のブログ記事が広く拡散されて以後、10年近くにわたり続いていたのです。

本書の原稿を整理しつつある2022年秋の時点では、キーワード「小山田圭吾」のグーグル検索上位はすっかり様変わりし、上からウィキペディアの記事、誠実に書かれた「お詫びと経緯説明」（2021年9月17日）を読むことができるコーネリアス公式サイト、IfYouAreHere委員会の検証サイト「2021年夏に起きた小山田圭吾氏の炎上問題について―時系列の整理とファクトチェック」、そして「はじめに」で言及したわたしによる集英社オンライン記事、「炎上騒動を超えて」（前中後編の前編）のYahoo!ニュース版となっています。少なくともあの大騒動の行方や小山田氏の現状に関心を抱いた人びとには、事実関係を検討し、同氏の過ちとその他の要因を考量して、各自の判断を下せるような環境が整えられているのです。

とりわけ、ファン有志による私設サイトでありながら、検証のための不可欠な土台のような存在感を得ることに成功したIfYouAreHere委員会（この名称はコーネリアスの楽曲「あなたがいるなら」の英語タイトルにあやかったもの）の取り組みの意義は、どれほど強調しても強調しすぎることはありません。サイト運営者たちは、賛嘆すべき情熱とセンスと知性を発揮して、小山田氏の現在と将来を気にかける多くのファンはもちろんのこと、大炎上の妥当性を問いなおそうと考える多様な関心層がアクセスする、信頼の置けるプラットフォームを作り上げました。

こうしたウェブ空間における情報修正の広がりを基盤として、さらにいっそう公共的な議論を喚起できたらとの思いから生まれた本書が、たくさんの読者に迎えられることを願っています。

*

本書の元となった原稿が書かれ、こうして書籍化されるまでには、実に多くの方々の力添えを得ています。

執筆過程では、小山田氏をめぐる騒動の検証を最も精力的に進めてきたブロガーのkobeni氏と、その周囲に結成されたIfYouAreHere委員会に代表される小山田圭吾ファン有志との意見交換や情報提供に大いに助けられました。さらにまた、小山田氏の学校時代について、著者は執筆準備に際し、彼の同級生・下級生にあたる何人もの元和光学園生の証言を直接・間接に得ることができました。その多くは、kobeni氏の助力によるものです。文献の検討を主体とする本書の性質上、文中で直接用いることはしていませんが、これらの証言に助けられることなしでは、著者は学校時代の小山田氏の日々をこれほどの手応えをもって想い描くことはできなかったでしょう。「#環境と心理写真展」のハッシュタグのもと、夕暮れどきをはじめとする思い思いの写真をツイートしてきたひとり、「プチポワル」（@petitpoilonez）氏には、note上のメディア「コロナの時代の想像力」での連載にあたり、在住するフランスの山岳地帯からの印象的な写真をバナー画像用に提供していただきました。岩波書店の渡部朝香氏は、大炎上の渦中にnoteでの執筆を依頼するという大胆さと、予期せぬ超・長文化（とそれに伴う執筆遅延）を受け入れる鷹揚さによってのみならず、ウェブ公開に先立つやり取りにおけるコメントの的確さによっても、本書の成立の決定的なパートナーとなってくださいました。noteでの連載時に注目していただいた不識庵顧問の赤井茂樹氏は、書籍化にあたり奔走してくださいました。そして最後に、しかし最小にではなく、本書の議論が単に小山田圭吾氏をめぐる騒動の行方にとどまらない射程を有していることを汲み取っていただき、集英社新書での企画成立を精力的に実現された担当編集の藁谷浩一氏に深謝申し上げます。

２０２２年12月

片岡大右

註

【第1章】

＊1　なおMETAFIVEは、正規メンバー6人のうち小山田を含む4人が不在のなか、ＬＥＯ今井と砂原良徳の2人にサポートメンバーを加えた編成で出演した。小山田に代わりギターを担当した永井聖一は、小山田愛用のギターを借り受けていたように見えた。最後から2曲めは小山田が作曲に参加した「Don't Move」、最後の曲は小山田が単独で作詞・作曲しメインボーカルも務めた「環境と心理」であり、ＬＥＯ今井は出演を次の言葉で締めくくった――「緊急事態中のMETAFIVEでした」。新アルバム『METAATEM』はその後、自主企画ライブ「METALIVE 2021」（２０２１年7月26日に開催を予定していながら、今回の炎上のさなかに新型コロナ感染拡大を理由に中止されたライブを、開催当日に無観客で収録していたもの）の有料配信チケットの付属品として入手可能となり、２０２２年9月になって、METAFIVEのラストアルバムとして一般販売された。

最後に、11月20日に配信開始されたこの「METALIVE 2021」がもたらした感動のなか、バンドと小山田のファンたちが「#環境と心理写真展」のハッシュタグのもと、北山雅和による同曲のジャケットに触発されつつ、思い思いに印象的な風景の写真をツイートし始めたことを記しておこう。

＊2　小山田は高校卒業後、セツ・モードセミナーに入学するものの、「校内では友達できず」（「BARFOUT!」ブラウンズブックス、１９９５年12月・１９９６年1月号、28頁）という状態のまま、バンド活動の本格化に伴い通わなくなってしまう。

＊3　なおこの表現は、小山田本人が「渋谷系」という規定に違和感を覚えつつ諧謔的に口にしたのが一般に広まったもの。

＊4　「『Fantasma』の海外のプロモーションでは、さすがに〝フジヤマ〟とか〝ゲイシャ〟とか言われることはなかったですけど、〝オタク〟とか〝カワイイ〟とか、新しい〝ニッポン〟の感覚として聴かれているんだな、という感じはありましたね。〝ジャパニメーション〟について聞かれて、全然興味がないんで困ったり（笑）。『Point』の時はそういうことはほとんどなかったんじゃないかな。みんな、〝日本人のミュージシャンの～〟というより、〝ひとりのミュージシャンの〟新譜を待っていてくれた雰囲気はあった」（取材・文＝磯部涼、「ＱＪ」第68号、２００６年10月、１３８頁）

＊5　小山田圭吾を何よりも「渋谷系」の代表者として扱い続けるというこうした態度は、日本では少なからぬ音楽好きのあいだでも共有されていると言えるかもしれない。それは例えば、小山田のＹＭＯへの参加をめぐる国内外の受け止め方の違いからも窺えることだ。海外では、コーネリアスはＹＭＯに続き日本から到来した音楽的事件にほかならず、『コーネリアスのすべて』（別冊ele-king、Ｐヴァイン、２０１７年）所収の高橋幸宏インタビューで聞き手の松村正人が指摘するように、「テクノロジカルなようでいて、そのじつ作家性や身体性が支えになっている」といった音楽性の点でも、両者は無理なくひとつの系譜をなすものとして理解される。しかし高橋は、「海外ではそうなんだけど」と認めつつ、「日本では渋谷系のフリッパーズ・ギターの小山田くんがコーネリアスになったという考えが支配的」であり、「なぜ渋谷系のギタリストがＹＭＯと一緒にやるんだ」といった疑問の声も聞こえてきたと振り返っている（１２０頁）。

＊6　例えば、チボ・マットの世界的成功を経てニューヨークを拠点に活動を続けるミュージシャン本田ゆかは、米国の状況について、次のように証言している。「私の周りはアート系の人間が多いですが、コーネリアスは本当に一目置かれているという感じです。まずミュージシャンの間では絶対的な尊敬を受けていると思います」（「コーネリアスのユニバーサル・ランゲージ」、『コーネリアスのすべて』89頁）

＊7　映像監修の中村勇吾によると、『デザインあ』の印象を決定づけているあの「あ」の心地よい反復はそもそも小山田圭吾の発案で決まったのだという。「最初の根幹部分に小山田さんのディレクションが入っている」というのだから（「ロジックを絵筆にカタチを作る」、『コーネリアスのすべて』85頁）、小山田を外した番組再開はありえないだろう。

＊8　例えばシリーズ『障害児教育にチャレンジ』の一冊として、『「出口」から考える知恵遅れの子どもの指導法』が出版されたのは1993年のことだ（辻行雄・岩里周英、明治図書出版）。また1991年刊の和光小学校編『共に学び育て子どもたち』（星林社）――のちに見る和光学園の「共同教育」を主題とする――には、「知恵遅れのA子ちゃん」への言及が見られる（262頁）。より一般的な用例として、1994年刊の堤清二・佐和隆光編『ポスト産業社会への提言―〈社会経済生産性本部・社会政策問題特別委員会報告書〉』（岩波ブックレット、No.358）から以下の文言を引いておく。「肢体不自由児や知恵遅れの子供を特殊学級に強制的に閉じこめるというのは、先進諸国に類例をみないむごい仕打ちといえよう」（59頁）

＊9　平林和史ほか『前略　小沢健二様』（太田出版、1996年、98頁）。和光学園で小山田（と小沢健

二）の2年後輩だったライター平林和史の発言。荒川康伸——ロリポップ・ソニックからフリッパーズ・ギターの初期にかけドラムとして参加したのち、ポリスターレコードに入社した——とのやり取りの該当箇所をもう少し引いておこう。「——〔平林〕本人は嫌がりますけれど、やっぱり小山田さんは和光を引っ張っていたじゃないですか。やることなすことすべて流行ってしまう。／荒川『小山田くん、最近なに聞いてんの？』『アメリカのハードコア』『エッ！』。それでみんなが『ワーッ』となって聞きはじめるでしょう。／——ファッションなんて特にそう。和光のなかだけでなく、ストリートも遅れてついてくる。『オリーブ』の街頭スナップに小山田さんが載ると、そのとき着ていた服がとつぜん流行りだしたり。／荒川　そうなんですよね。それ、僕もすごく思ってた」

【第2章】

＊1「ロッキング・オン」の名物連載「渋松対談」は対談者の一方がひとりで書いた創作対談であり、しかも渋谷によれば彼が登場させる社員は「架空のキャラ」であって「本人とは似ても似つかない」（渋谷陽一・松村雄策『渋松対談　赤盤』ロッキング・オン、2011年、7頁）のだという。そこからすると、「ROJ」の「場末のクロストーク」も山崎による創作対談であってもおかしくはないし、過酷ないじめ加害の告白に触れて「初めて小山田を見直した」のようなことをほんとうに井上が語ったのかはわからない。とはいえ、少なくとも、編集部の雰囲気——あるいは編集部がそのように読者に受け止めてほしいもの——の一端がそこに表れていることはたしかだろう。

なお、小山田は次号のインタビューでこの「場末のクロストーク」に言及し、「井上さんですか？

この暗黒系にもさっぱりダメなんだなって事がわかるんですよ」と感想を述べているけれど、山崎はそれに対し、「全然ダメだね（笑）」と応じている（116頁）。またこの「場末のクロストーク」については、kobeni の映画評「『ビルド・ア・ガール』で考える90年代ロック・シーンと音楽雑誌」（「kobeni の日記」2021年11月10日）での言及も参照されたい。

＊2 本章の元になった原稿のウェブ公開後、2021年12月31日にウェブ配信された「2021 SUPER DOMMUNE YEAR END DISCUSSION『小山田圭吾氏と出来事の真相』」第1章でネットワーカーのばるぼらが紹介したところでは、小山田は「ROJ」1994年1月号刊行直後にも、同趣旨の説明を行っていた。1994年3月に出演した仙台WAVEのイベントで、なぜ学友に糞便を食べさせたのかという会場からの質問に答えた小山田は、それは事実ではなく、実際には何でも食べてしまう同級生が犬の糞を口にした話にすぎないと訂正していたのだという（隠し録りのテープが残されているとのこと）。

【第3章】

＊1 別のページには「アニエス番長あらためA・P・C番長」とある。ちなみにのちの『ヘルタースケルター』（1995―1996年「FEEL YOUNG」連載）には一文字違いの「大山田建二」が、歌手デビュー時の主人公のプロデューサーとしてひとコマ登場する。

＊2 なお、このくだりの直後に言及される年賀状のエピソードは、今回の騒動直後、2021年7月17日13時49分に立てられた5ちゃんねるのスレッド「【悲報】小山田圭吾さん、障害者の息子と母親が一

生懸命書いた年賀状を雑誌に晒して笑い物にしてしまう」で著しく偏ったかたちで紹介され、このスレッドがまとめブログ「痛いニュース」に転載されたのを機にツイッターで広く拡散されて、数知れない人びとの憤激の糧となった（匿名掲示板のまとめブログを根拠にすることに抵抗を覚える人びとも、誰かがそこで得た画像をツイートして感想をつぶやくなら、もはやそうした感想の背後にあるいかがわしい由来を疑うこともなく、安心して拡散を始めてしまう）。

ツイッターの反応を眺めて気づくのは、この年賀状を、いじめられっ子がそれ以上いじめられないように必死の思いで出したもの、とする解釈が多く見受けられることだ。しかし「ＱＪ」の記事全体を読むなら（あるいは「月刊カドカワ」１９９１年9月号での「Ｋ」をめぐる回想を読むなら）、そもそもこのふたりはそのような関係性のなかで交流していたのではないことがわかる。小山田が年賀状のエピソードを語ったのは、ほかの同級生が知らないような難しい漢字を知っている「沢田」が、その一方できれいな字を書くことができないという、学習障害児のアンバランスな発達への驚きを伝えようとしてのことだ。

もちろん、年賀状の現物を（おそらく本人の許可を得ることなく）雑誌に写真掲載してしまうというのは、少なくとも今日の社会通念からすると大いに問題があるし、当時においても軽率な判断だったとみなすことはできるかもしれない。ただしそれが軽率である理由は、まさに今回の大炎上を機に生じたような、悪意ある切り取りの素材となりかねないからであって、匿名掲示板の歪曲的な紹介を真に受けた人びとは、小山田の姿勢を非難するのと少なくとも同程度に、自らの迂闊さに思いを致さなければならないだろう（なお申し添えておくと、わたし自身がこの件の大拡散の時点では「ＱＪ」記事の全文に触れておらず、憤る人びとに半ば共感しながら大いに心を痛めていたのであって、匿名掲示板発の告発の事実性を十分疑うことをしなかったのを事後に深く反省した）。

最後に、この年賀状の日付に触れておきたい。これは「昭和五十六年元旦」、つまり1981年の年賀状であって、ということは1969年1月生まれの小山田が小学6年生の年のものだ。この時期に年賀状が送られており、そこに「手紙ありがとう」と記されているのだから、高校で同じクラスとなり交流を深める以前、「太鼓クラブ」の仲間だった時代にすでに、「毒ガス攻撃」のような問題含みの行為の一方で、ふたりがそれなりの関係を結んでいたことが察せられる。

＊3　混乱を避けるために付記しておくなら、ここでの「統合教育」という言葉は、今日とは意味合いを異にしている。分離か統合か、という問題設定のなかで掲げられていた当時とは異なり、「統合教育」は今日、サラマンカ宣言（1994年6月）以後に国際規範となった「インクルーシブ教育」と対比的に理解されている。通常教育を前提とし、その枠組みへの障害児の適応を求める傾向にある前者に対して、後者はといえば、多様なニーズを持つすべての子どもに開かれた平等な教育体制の確立を目指すものとされる。

＊4　そもそも、フリッパーズ・ギターが登場していた時期の「オリーブ」も「かわいい悪趣味（エスプリ）！」と題する特集を組み（1991年9月3日号）、「ものすごくエネルギッシュで、エモーショナルで、パワフルなもの」「歪んだ部分とか、とても過剰な部分」（スタイリストの近田まりこの発言、35頁）を取り入れたファッションを提案する一方、デヴィッド・リンチやティム・バートンの映画を紹介している。また同号では、特集とは別枠でホラー漫画家の御茶漬海苔（おちゃづけのり）が、「KYON^2〔小泉今日子〕」、観月（みづき）ありささん

が熱中しているホラーマンガとして、マニアたちには超人気」（116頁）の作家としてインタビューされている。90年代半ば以降の「鬼畜系」はともかくとして、広義の悪趣味への関心は当時の若い女性たちにもそれなりに広がっていた。

＊5　それでも若干の私見を書き添えておくなら、あえて「鬼畜系」の文化現象を振り返るのであれば、佐川一政の存在感を言い落としたり、バッキー事件（AV作品『問答無用　強制子宮破壊』シリーズにおいて女優たちへの食糞強制や水責めや膣内への焼酎注入などを行い、直腸破裂などの結果を引き起こして関係者が何人も逮捕された）や酒鬼薔薇（さかきばら）事件（犯人は「危ない1号」の読者だったことが知られている）のような犯罪を不幸な逸脱として片付けつつ一部当事者の「優しさ」や「善意」を強調するのではなく（「村崎氏や青山氏は〔…〕人間の善意を根底では信じていた」、ロマン前掲書第八章）、そうした危うさを直視することが必要だろうと思われる。この点で、「すばるクリティーク賞」選考委員の一部による鴇田の受賞作への論評は、記憶に留めるに値する。杉田俊介は「村崎百郎の存在がある種のナイーブな道徳や責任の次元に回収されている気がして、ちょっと後退に感じました」と同作を評し、「村崎さんのなかには読者どもも等しくゴミだろ、という悪意があった」と指摘しているし（「すばる」2022年2月号、124頁）、大澤信亮（のぶあき）は「この著者の文体がクリーン過ぎる」「この文体には死や暴力の手触りが感じられない」と不満を述べている。村崎が読者により殺されたこと、「他にも鬼畜系カルチャーの作り手は自殺とかの陰惨な死に方をしている」ことを重く見る大澤は、「オウム事件、池袋通り魔事件を始めとする無差別殺人、酒鬼薔薇事件のような猟奇殺人など」といった同時代の事象との関連を閑却することなく、この文化現象が内包していた「何か危ないもの」を再考するのであれば意味

があるだろうと説いているが（125頁）、わたしもおおむね同感である。

＊6　最後の引用は、続く部分を含め改めて引くなら以下のようになる。「凄惨極まりないいじめ（障がい者に対するものも含む）について面白おかしく語った部分が未だにネット上で非難されています。当たり前の話だと思います」。ここで示唆されているのはおそらく、「孤立無援のブログ」の投稿「小山田圭吾における人間の研究」で引かれた、「沢田」の性的羞恥心の乏しさに付け込んで「みんな」で下着を脱がせる一場面だと思われる。第5章第4節で論じるように、ここで小山田は「みんな」と一体化しているわけではなく、前後の文脈を踏まえて読んだ場合、「面白おかしく語った」という評価は——したがってネット上の非難を「当たり前の話」だとする判断は——公正なものとは言えないだろう。

＊7　なお、同誌の圏域から生まれた文章を大手メディアに送り込む傍ら、「実話ＢＵＮＫＡタブー」の公式ツイッターアカウントは以下の一連の投稿を行っていた。ロマンの著書がどのような環境のなかで生まれたのかがよくわかる。「『小山田圭吾のいじめに怒ってる人たちが、小山田圭吾を一斉にバッシングしていてむしろそのほうがいじめ』とか言ってる人たち、単に『すぐツイッター世論に流される凡人と俺は違うぜ』って逆張りアピールがしたいだけですよね？」「五輪開会式の作曲を担当する小山田圭吾さんの、障害者いじめに関して論じた新書がこちら。ＩＯＣ委員にも是非読んで頂きたい！なお新書作成の段階で、小山田さんに障害者いじめに関する取材オファーを出したら、しっかりと無視されました」「小山田圭吾に当てつけて、弊誌『実話ＢＵＮＫＡタブー』を悪趣味サブカルの残滓などと誹謗中傷するのはやめてほしいです！　弊誌は、岩波の『世界』や『中央公論』と同じジャンルの高級論壇誌です。サブカルとかいう中年童貞子供部屋おじさんの趣味は心底軽蔑していますので…」（以上202

1年7月16日)、「もう50過ぎのフリッパーズメンバーを、小山田くん・小沢くんと呼ぶ、元オリーブ少女(現・ヤバいおばさん)が、ツイッター上にはまだわりと居てキッツ…と思いました」「小山田圭吾さんについて、ロッキンオンやQJが過去の悪行を載せてなかったら当然誰も知ることがなかったわけですが、『載せた両誌も同罪だ!謝れ!』って怒ってる人たちは、小山田さんの悪行が世間に知られることなく小山田さんも反省することなく五輪で喝采を浴びるという状況を望んでるんですかね」(以上2021年7月17日)、「五輪で小山田圭吾さんの曲は聴けないけど、でも大丈夫!もうすぐ始まる、意識高いバカが『ととのったー』とイタい言葉を撒き散らしながら薬物的快楽を味わうためにハマってる合法ドラッグ・サウナをモチーフにしたドラマ『サ道』で小山田さんの曲を聴けますよ!と思ったら、これも降ろされるんですね」「『90年代サブカルの呪い』のamazon在庫が復活してました。新書感を味わいたければ紙がオススメ。イキリまくりの小山田圭吾など、90年代サブカルの問題点がこの1冊でわかりますよ」(以上2021年7月21日)

　最後に、東京オリンピック・パラリンピックをめぐって2021年夏に生じたもうひとつのスキャンダルである小林賢太郎の開閉会式演出担当解任劇が、まさにこの「実話BUNKAタブー」公式アカウントのツイートに端を発するものだったことも忘れてはならない。

【第4章】

*1　伊藤によれば、1970年代までは「子どもの自殺の主要な動機として語られ続けた」のは「勉学・受験による自殺」であり、それが80年代以降に「いじめ自殺」に取って代わられるけれど、これは

あくまでも言説レベルのことであって、実際には子どもたちは今なお、いじめよりもはるかに高い頻度で、学業上の問題のために自殺し続けている（伊藤前掲書、第1章）。付け加えておくなら、親子関係の問題や恋愛問題の比重の大きさを無視することはできないだろう。ここでは参考までに、厚生労働省ウェブサイトの「自殺の統計：各年の状況」のページで公開されている「年齢階級別、原因・動機別自殺者数」の統計から、最近3年（令和元年／2年／3年）のデータを一部紹介しておこう。20歳未満の自殺者の「推定できる原因・動機」（ひとりにつき3つまで計上）のうち、「入試に関する悩み」が令和元年28件／令和2年28件／令和3年23件、「その他進路に関する悩み」が57／68／47、「学業不振」が55／64／57、「親子関係の不和」が42／60／54、「家族からのしつけ・叱責」が33／35／30、「失恋」が29／27／32、「その他交際をめぐる悩み」が28／19／23に対し、「いじめ」は2／7／9となっている（ただし「その他学友との不和」が26／30／25）。

＊2　とはいえ、念のために記しておくなら、小沢健二の『LIFE』は単純明快に陽性のアルバムではなく、「実際には作中のそここに、喪失と痛みが刻まれている」（片岡大右「『世の中の裂け目』はいつだって開く」、以文社ウェブサイト掲載版（2020年1月5日）に寄せた「『So kakkoii 宇宙』についての付記」）。

＊3　ただしここで公正を期して、小山田が、「QJ」ではなく「ROJ」、それも今日の騒動を招いた1994年1月号ではなくそれに先立つ1993年9月号のインタビューで、「ズルいいじめっ子」だった過去を語っていることに触れておこう（17頁）。

そこでの発言によると、彼は「バーンってブン殴ったり」するのではなく「ねちねちねちねちいじめたりする」ことで、「ほんとに憎まれる人には一番憎まれちゃう」ような生徒として中学時代を過ごし、そのため「中学の文集で、『小山田君のヤな事』っていうタイトルで作文を」書かれるに至ったのだという（ただし「月刊カドカワ」１９９１年９月号３４８頁には、「小学校五年くらいのとき」の文集で「小山田君の嫌なこと」というタイトルの作文を書かれたとあり、時期は確定しがたい）。こちらのエピソードであれば、上述の竹熊のエピソードと比較可能かもしれない。

とはいえ、いずれにせよ、竹熊のエピソード同様まったく褒められた話ではないにしても、小中学校時代に同級生から作文で告発されたという過去によって、数十年後の惑星規模のスキャンダルを正当化できると考えるわけにはいかないだろう。

【第5章】

＊1　なお、以下の検証と多少とも重なり合う先行的取り組みとして、kobeniによるブログ記事「小山田圭吾氏いじめ記事に関する検証　その2．ネットミーム『2ちゃんねるのコピペ』が大炎上に至るまでの変遷」（「kobeniの日記」２０２１年9月5日）がある。併せて読まれたい。

＊2　ブログ主は２０２１年11月4日の記事で、「『小山田圭吾における人間の研究』を書くにあたって、私は両誌の記事を、著作権法に則って（のっと）そのまま引用した。一字一句、書き換えていない」と述べているけれど、これはしたがって、「ＲＯＪ」からの引用に関してはまったく事実に反する。

＊3　この漫画は、「＃30日で中止になる東京五輪」と題する連続もののひとつであり、「25日目　五輪の天罰」として２０２１年7月19日に公開されて以来、「孤立無援のブログ」に準拠した内容に対し、相

次ぐ批判を投げかけられてきた。ぼうごは批判に応えようとしなかったが、11月30日にジャーナリスト伊藤詩織の名誉毀損裁判勝訴（漫画家はすみとしこが中傷的内容の漫画のツイッターへの投稿のため、賠償命令を受けた）の報道がなされ、同日夜にこの小山田の一件を憂慮するツイッタラーから作中の記述の根拠を改めて問われたのち、当該ツイートを削除した。

＊4　なお、記事中には「クイック・ジャパンの記事には『この場を借りて謝ります（笑）』との記述もあるが」と書かれているけれども（傍点引用者）、これはいじめについて考えていて「ROJ」の小山田インタビューを「思い出した」（「QJ」第3号、53頁）というライターの村上清が、同誌該当号にある「この場を借りてお詫びします（笑）」（「ROJ」1994年1月号、30頁、傍点引用者）という発言を不正確に引用した文言にあたる。山下が「ROJ」の原典に当たらなかった可能性とともに、「QJ」の記事をいかに大まかにしか読まなかったかが推察される。

＊5　国際報道の問題性については、翻訳者の城所（きどころ）佐也子による英語記事を参照されたい（Free kitten, "Is Cancel Culture the Consequence of an Infodemic?," Medium.com, Oct 9, 2021）。そこでは、「日本のTVタレントでインフルエンサーのモーリー・ロバートソンが〔…〕、いじめではなく『日常的な虐待』のようなセンセーショナルな言葉を採用し、ニュアンスのある細部を省略しつつ誇張と誤情報を混在させて国際社会の注目を引こうとした」ことが指摘される一方、国際報道に直接関わったのが、むしろ日本ではそれほどあるいはまったく知られていないジャーナリストやブログ寄稿者であることが強調されている。例えば、「デイリー・ビースト」（「高級タブロイド」を自称するリベラル系ニュースサイト）の記事で、「『Jake the Fake』とあだ名されるジェイク・エーデルスタインは〔…〕、性的暴行や殺

人未遂といった法律用語を用いて、小山田を犯罪者として描いた」。また「驚くべきことに、NBCと『ガーディアン』は、日本のポップカルチャーの国際的なファンに向けたアマチュアブログである『あらま！JAPAN』をソースにした」。

＊6　この点は、「お詫びと経緯説明」の英語版を通して、小山田自身によっても明言されている。日本語版でも「『ROCKIN'ON JAPAN』の見出しや『QUICK JAPAN』の記事を切り取った内容で書かれた一般の方のブログ記事や掲示板の書き込み」を問題視するくだりで「孤立無援のブログ」の果たした役割が示唆されているけれども、英語版では「a blog post」とはっきり単数形で、同ブログの「小山田圭吾における人間の研究」への事実上の言及がなされているのだ。以下、該当の一文を日本語に移し替えておく。「これら2誌の出版後、わたしがおぞましい暴力行為の加害者であると見せかけるように編集されたあるブログ記事が公開されました。この偽情報はさまざまな掲示板やSNSを通して拡散され、それが今では、ほとんどの報道のソースのひとつとして用いられているのです。『クイック・ジャパン』のインタビューでは、暴力行為はわたしによるものではないことが明言されているというのに」（傍点引用者）。

＊7　なお、近年のインタビューや対談でソロアルバム第1作のタイトルが話題に上るとき、小山田はまったく言葉少なに記憶の喪失を打ち明けるばかりで、こうした背景をいっさい口にすることがない。信藤三雄との対談（2018年8月7日、世田谷文学館）では、信藤にタイトルの意味を問われ、「なんだろう、自分でもわかんない。質問大賞？レコード大賞的な？」とはぐらかしているし（はてなブログ「音甘映画館」2018年8月12日付記事での書き起こしによる）、より最近のインタビューでは、同様

の質問を、「それが全然覚えていない……」「どうやってつけたのか全然覚えてないんだよね」と受け流している（『続コーネリアスのすべて』２０１９年、23頁）。

片岡大右（かたおか だいすけ）

一九七四年生まれ。批評家。専門は社会思想史・フランス文学。東京大学大学院人文社会系研究科博士課程修了。単著に『隠遁者、野生人、蛮人――反文明的形象の系譜と近代』（知泉書館）、共著に『共和国か宗教か、それとも』（白水社）、『古井由吉　文学の奇蹟』（河出書房新社）、『加藤周一を21世紀に引き継ぐために』（水声社）、訳書にデヴィッド・グレーバー『民主主義の非西洋起源について』（以文社）等がある。

小山田圭吾の「いじめ」はいかにつくられたか　現代の災い「インフォデミック」を考える

二〇二三年二月二二日　第一刷発行　　集英社新書一一五二B

著者……片岡大右

発行者……樋口尚也

発行所……株式会社集英社

東京都千代田区一ッ橋二-五-一〇　郵便番号一〇一-八〇五〇

電話　〇三-三二三〇-六三九一（編集部）

〇三-三二三〇-六〇八〇（読者係）

〇三-三二三〇-六三九三（販売部）書店専用

装幀……原　研哉

印刷所……凸版印刷株式会社

製本所……加藤製本株式会社

定価はカバーに表示してあります。

ISBN 978-4-08-721252-5 C0236

a pilot of wisdom

ことばの危機 大学入試改革・教育政策を問う　東京大学文学部広報委員会・編
国家と移民 外国人労働者と日本の未来　鳥井一平
LGBTとハラスメント　神谷悠一・松岡宗嗣
変われ！ 東京 自由で、ゆるくて、閉じない都市　隈研吾・清野由美
東京裏返し 社会学的街歩きガイド　吉見俊哉
人に寄り添う防災　片田敏孝
プロパガンダ戦争 分断される世界とメディア　内藤正典
イミダス 現代の視点2021　イミダス編集部・編
中国法「依法治国」の公法と私法　小口彦太
福島が沈黙した日 原発事故と甲状腺被ばく　榊原崇仁
女性差別はどう作られてきたか　中村敏子
原子力の精神史――〈核〉と日本の現在地　山本昭宏
ヘイトスピーチと対抗報道　角南圭祐
世界の凋落を見つめて クロニクル2011-2020　四方田犬彦
「自由」の危機――息苦しさの正体　藤原辰史・内田樹ほか
「非モテ」からはじめる男性学　西井開
妊娠・出産をめぐるスピリチュアリティ　橋迫瑞穂

マジョリティ男性にとってまっとうさとは何か　杉田俊介
書物と貨幣の五千年史　永田希
インド残酷物語 世界一たくましい民　池亀彩
シンプル思考　里崎智也
韓国カルチャー 隣人の素顔と現在　伊東順子
「それから」の大阪　スズキナオ
ドンキにはなぜペンギンがいるのか　谷頭和希
何が記者を殺すのか 大阪発ドキュメンタリーの現場から　斉加尚代
フィンランド 幸せのメソッド　堀内都喜子
私たちが声を上げるとき アメリカを変えた10の問い　和泉真澄・坂下史子ほか
「黒い雨」訴訟　小山美砂
差別は思いやりでは解決しない　神谷悠一
ファスト教養 10分で答えが欲しい人たち　レジー
非科学主義信仰 揺れるアメリカ社会の現場から　及川順
おどろきのウクライナ　橋爪大三郎・大澤真幸
対論 1968　笠井潔・絓秀実
武器としての国際人権　藤田早苗

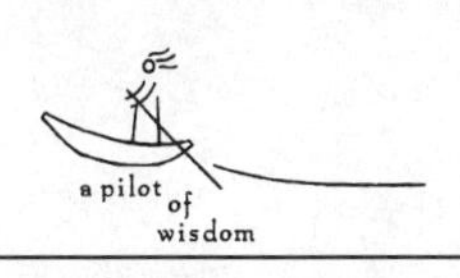
a pilot of wisdom

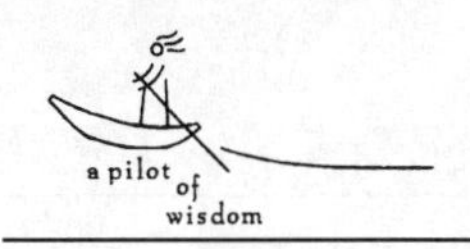

ノンフィクション——N

- 妻と最期の十日間　桃井和馬
- 鯨人　石川梵
- ゴーストタウン チェルノブイリを走る　エレナ・ウラジーミロヴナ・フィラトワ／池田紫・訳
- 笑う、避難所 石巻・明友館136人の記録　頓所直人／写真・名越啓介
- チャングム、イ・サンの監督が語る 韓流時代劇の魅力　イ・ビョンフン
- 女ノマド、一人砂漠に生きる　常見藤代
- 幻の楽器 ヴィオラ・アルタ物語　平野真敏
- 風景は記憶の順にできていく　椎名誠
- 実録 ドイツで決闘した日本人　菅野瑞治也
- 「辺境」の誇り——アメリカ先住民と日本人　鎌田遵
- 奇食珍食 糞便録　椎名誠
- ひらめき教室「弱者」のための仕事論　松井優征／佐藤オオキ
- 橋を架ける者たち——在日サッカー選手の群像　木村元彦
- ナチスと隕石仏像 SSチベット探検隊とアーリア神話　浜本隆志
- 堕ちた英雄「独裁者」ムガベの37年　石原孝
- 癒されぬアメリカ 先住民社会を生きる　鎌田遵
- 羽生結弦を生んだ男 都築章一郎の道程　宇都宮直子
- 花ちゃんのサラダ 昭和の思い出日記　南條竹則
- ある北朝鮮テロリストの生と死 証言・ラングーン事件　羅鍾一／永野慎一郎・訳
- 原子の力を解放せよ 戦争に翻弄された核物理学者たち　浜野高宏／新田義貴／海南友子
- ルポ 森のようちえん SDGs時代の子育てスタイル　おおたとしまさ
- シングルマザー、その後　黒川祥子
- 9つの人生 現代インドの聖なるものを求めて　ウィリアム・ダルリンプル／パロミタ友美・訳
- 財津和夫 人生はひとつ でも一度じゃない　川上雄三
- ルポ 虐待サバイバー　植原亮太

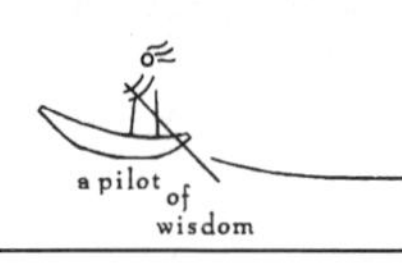

おどろきのウクライナ
橋爪大三郎／大澤真幸　1141-B

ウクライナ戦争に端を発した権威主義国家と自由・民主主義陣営の戦いとは。世界の深層に迫る白熱の討論。

死ぬまでに知っておきたい日本美術
山口 桂　1142-F

豊富な体験エピソードを交え、豪華絢爛な屏風から知る人ぞ知る現代美術まで、日本美術の真髄を紹介する。

アイスダンスを踊る
宇都宮直子　1143-H

世界的人気を博すアイスダンス。かつての選手たちの証言や名プログラム解説、実情や問題点を描いた一冊。

対論　1968
笠井 潔／絓 秀実　聞き手／外山恒一　1144-B

社会変革の運動が最高潮に達した「1968年」。叛乱の意味と日本にもたらしたものを「対話」から探る。

西山太吉　最後の告白
西山太吉／佐高 信　1145-A

政府の機密資料「沖縄返還密約文書」をスクープした著者が、自民党の黄金時代と今の劣化の要因を語る。

武器としての国際人権　日本の貧困・報道・差別
藤田早苗　1146-B

国際的な人権基準から見ると守られていない日本の人権。それにより生じる諸問題を、実例を挙げひもとく。

「鬱屈」の時代をよむ
今野真二　1147-F

現代を生きる上で生じる不安感の正体を、一〇〇年前の文学、辞書、雑誌、詩などの言語空間から発見する。

未来倫理
戸谷洋志　1148-C

現在世代は未来世代に対しての倫理的な責任をどのように考え、実践するべきか。倫理学の各理論から考察。

ゲームが教える世界の論点
藤田直哉　1149-F

社会問題の解決策を示すようになったゲーム。大人気作品の読解から、理想的な社会のあり方を提示する。

日本酒外交　酒サムライ外交官、世界を行く
門司健次郎　1150-A

外交官だった著者は赴任先の国で、日本酒を外交の場に取り入れる。そこで見出した大きな可能性とは。